Gramática
da fantasia

CIP-BRASIL. CATALOGAÇÃO NA PUBLICAÇÃO
SINDICATO NACIONAL DOS EDITORES DE LIVROS, RJ

R591g

Rodari, Gianni, 1920-1980
    Gramática da fantasia : introdução à arte de inventar histórias / Gianni Rodari ; [tradução Antonio Negrini] ; [revisão da tradução e notas Carlos S. Mendes Rosa]. - [12. ed. rev.]. - São Paulo : Summus, 2021.
    208 p. ; 21 cm.

    Tradução de: Grammatica della fantasia : introduzione all'arte di inventare storie
    ISBN 978-65-5549-040-4

    1. Arte de contar histórias. 2. Pensamento criativo. 3. Educação de crianças - Programas de atividades. I. Negrini, Antonio. II. Rosa, Carlos S. Mendes. III. Título.

21-71805   CDD: 808.068543
                                                        CDU: 808.1-053.2

Leandra Felix da Cruz Candido - Bibliotecária - CRB-7/6135

www.summus.com.br

Compre em lugar de fotocopiar.
Cada real que você dá por um livro recompensa seus autores
e os convida a produzir mais sobre o tema;
incentiva seus editores a encomendar, traduzir e publicar
outras obras sobre o assunto;
e paga aos livreiros por estocar e levar até você livros
para a sua informação e o seu entretenimento.
Cada real que você dá pela fotocópia não autorizada de um livro
financia o crime
e ajuda a matar a produção intelectual de seu país.

Gramática da fantasia

Uma introdução à arte
de inventar histórias

Gianni Rodari

summus
editorial

Do original em língua italiana
GRAMMATICA DELLA FANTASIA
Introduzione all'arte di inventare storie
Copyright © 1980, Maria Ferretti Rodari e Paola Rodari, Itália
© 1991, Edizioni EL S.r.l., Trieste, Itália
Direitos desta tradução reservados por Summus Editorial

Editora executiva: **Soraia Bini Cury**
Tradução: **Antonio Negrini**
Revisão da tradução e notas: **Carlos S. Mendes Rosa**
Projeto gráfico e diagramação: **Crayon Editorial**

Summus Editorial
Departamento editorial
Rua Itapicuru, 613 – 7º andar
05006-000 – São Paulo – SP
Fone: (11) 3872-3322
http://www.summus.com.br
e-mail: summus@summus.com.br

Atendimento ao consumidor
Summus Editorial
Fone: (11) 3865-9890

Vendas por atacado
Fone: (11) 3873-8638
e-mail: vendas@summus.com.br

Impresso no Brasil

Este livro é dedicado à cidade de Reggio Emilia.

Sumário

Apresentação à edição brasileira 9

1. Antecedentes 11
2. O pedregulho no lago 15
3. A palavra "olá". 21
4. O binômio fantástico 25
5. "Luz" e "sapatos". 29
6. O que aconteceria se... 33
7. O avô de Lênin 36
8. O prefixo arbitrário 38
9. O erro criativo 41
10. Velhas brincadeiras 44
11. A contribuição de Giosuè Carducci 47
12. Construção de um limerick. 50
13. Construção de uma adivinha 53
14. A falsa adivinha 56
15. Fábulas populares como matéria-prima 58
16. Errando as histórias 60
17. Chapeuzinho Vermelho no helicóptero 62
18. Fábulas do avesso 64
19. O que acontece depois 66
20. Salada de fábulas 68
21. Contos remodelados 70
22. As cartas de Propp 75
23. Franco Passatore põe "as cartas nas fábulas" 83
24. Fábulas com "enfoque obrigatório". 85

25. Análise da Befana 88
26. O homenzinho de vidro 92
27. Piano Bill 94
28. Comer e "brincar de comer" 97
29. Histórias à mesa 100
30. Viagem ao redor de casa 103
31. O brinquedo como personagem 108
32. Marionetes e fantoches 112
33. A criança como protagonista 117
34. Histórias "tabu" 120
35. Pedrinho e a massinha 124
36. Histórias para rir 130
37. A matemática das histórias 135
38. A criança que ouve contos populares 140
39. A criança que lê quadrinhos 145
40. A cabra do senhor Séguin 148
41. Histórias para brincar 153
42. Se o vovô virar um gato 157
43. Brincadeiras no pinhal 159
44. Imaginação, criatividade, escola 166
45. Fichas 176

Notas 195
O autor 204

Apresentação à edição brasileira

IMAGINAÇÃO, CRIATIVIDADE, ESCOLA

"O que aconteceria se um crocodilo batesse na sua porta pedindo um pouco de alecrim?"

"Uma 'expingarda', com um *x* no lugar do *s*, dispara balas, plumas ou violetas?"

"[...] a hora, transformada em 'ora', pediria demissão do relógio e trabalharia na gramática, como conjunção ou advérbio [...]."

Essas são apenas algumas amostras da riqueza, da criatividade, da fantasia de Gianni Rodari.

Se seu livro se resumisse à primeira parte, da qual, como de uma verdadeira fonte, jorram, literalmente, ideias repletas de mil e uma sugestões, riquíssimas de invenção, já seria um livro importante.

Nessa primeira parte o autor propõe uma série de expedientes para que educadores — pais ou professores — consigam criar histórias para contar às crianças ou sugiram a elas que inventem suas histórias.

Toda essa atividade tem como objetivo não só um contato afetivo com a criança — contato esse que não deve ser desprezado —, o desenvolvimento da linguagem, da lógica, da estética, mas, principalmente, a liberação da criatividade, da imaginação, da fantasia.

Mas é no final do livro, no Capítulo 44, que o autor realmente nos desvenda os objetivos desse trabalho, objetivos basicamente educacionais e, por isso mesmo, revolucionários. Chamando-nos a atenção para o fato de que a psicologia — e eu diria a pedagogia, também — preocupa-se muito mais com a atenção e a memória do que com a imaginação e a fantasia, Gianni Rodari nos diz textualmente: "[...]

a escuta paciente e a memória escrupulosa constituem as características do aluno-modelo, que, em geral, é o mais conveniente e mais dócil".

E nos mostra que os setores mais poderosos da sociedade realmente não têm nenhuma intenção de privilegiar a imaginação e a criatividade, pois não desejam que as pessoas aprendam a pensar, já que o pensamento criativo seria a arma mais eficaz de transformação do mundo e, portanto, de ameaça a uma ordem social conhecida, estabelecida e vantajosa para eles.

Gianni Rodari prossegue: "Para mudá-la [a sociedade], são necessários seres criativos, que saibam usar a imaginação. [...] desenvolvamos a criatividade de todos, para mudar o mundo".

Nesse apelo, o autor nos lembra que a criatividade é uma característica do ser humano, não um dom concedido a poucos. A divisão injusta do trabalho, a educação concedida apenas aos privilegiados, a falta de estímulos adequados no ambiente em que cresce a maioria das crianças é que fazem a criatividade parecer manifestar-se apenas em poucas pessoas.

Em educação, como de resto em muitas atividades humanas, o grande erro, a grande armadilha, é que frequentemente, na preocupação de se fazer um belo trabalho, perdem-se de vista nossos verdadeiros objetivos.

E o objetivo do verdadeiro educador deve ser um só: educar pessoas que possam mudar este mundo, tão voltado para coisas sem nenhuma importância, tão esquecido da felicidade de todos, tão cheio de injustiças!

Devemos ter fé em que isso possa ser feito. Gianni Rodari confia e nos diz isso de maneira bem-humorada:

"Se não esperarmos, apesar de tudo, um futuro melhor, quem nos obrigará a ir ao dentista?"

RUTH ROCHA
São Paulo, 1982

1. Antecedentes

No inverno de 1937-38, seguindo a recomendação de uma professora, esposa de um guarda municipal, comecei a lecionar italiano para crianças na casa de judeus alemães que ingenuamente acreditavam ter encontrado na Itália um refúgio seguro contra as perseguições raciais. Eu vivia com eles em uma pequena propriedade nas colinas próximas do lago Maggiore. Das sete às dez da manhã trabalhava com as crianças. Passava o resto do dia nos bosques, caminhando e lendo Dostoiévsky[1,2]. Foi um bom tempo enquanto durou. Aprendi um pouco de alemão e lancei-me sobre os livros dessa língua com a paixão, a desorganização e a volúpia que dão a quem estuda cem vezes mais que cem anos de escola.

Um dia, encontrei nos *Fragmentos* de Novalis[3] este pensamento: "Se tivéssemos uma fantástica assim como temos uma lógica, estaria descoberta a arte de inventar". É belíssimo. Quase todos os *Fragmentos* de Novalis o são; quase todos contêm revelações extraordinárias.

Poucos meses depois, ao deparar com os surrealistas franceses, acreditei ter encontrado ali, em seu modo de trabalho, a "fantástica" que Novalis procurava. É bem verdade que o pai e profeta do surrealismo[4] escrevera no final do manifesto do movimento: "As futuras técnicas surrealistas não me interessam". Entretanto, seus amigos escritores e pintores já as tinham inventado em quantidade considerável. Naquele momento, eu dava aulas no ensino fundamental, posto que os meus amigos judeus já haviam partido em busca de uma nova pátria. Devia ser um péssimo professor, pouco preparado para o trabalho, com a cabeça repleta de ideias que iam da linguística indo-europeia ao marxismo (o senhor Romussi, diretor da Biblioteca Pública de Varese, embora ostentasse o retrato do Duce sobre sua escrivaninha, era capaz de conversar, sem rodeios, sobre qualquer leitura que eventualmente me interessasse); eu tinha tudo em mente, exceto a escola. Todavia, acho que não fui um professor cansativo ou enjoado. Contava às crianças, um pouco por simpatia, um pouco pelo prazer da brincadeira, histórias sem a mínima referência à realidade ou ao bom senso, histórias que inventava servindo-me das "técnicas" promovidas e ao mesmo tempo reprovadas por Breton.

Foi por esse tempo que intitulei pomposamente *Caderno da fantástica* um modesto rascunho que continha anotações não sobre as histórias que eu contava, mas sobre como elas nasciam, sobre os truques que eu descobria ou acreditava descobrir para mobilizar palavras e imagens.

Com o tempo, tudo isso foi sendo esquecido e enterrado, até que, quase por acaso, por volta de 1948, comecei a escrever para crianças. Foi então que me lembrei da "fantástica", muito útil no desenvolvimento daquele novo e imprevisto trabalho. Apenas a preguiça, certa relutância em sistematizar as coisas e falta de tempo impediram-me de torná-la pública antes de 1962, quando publiquei no jornal diário romano *Paese Sera* [*País Vespertino*] um *Manuale per inventare favole* [*Manual para inventar fábulas*], em duas partes (9 e 19 de fevereiro).

Naqueles artigos eu mantinha uma respeitosa distância da matéria, supondo ter recebido de um jovem japonês que eu conhecera em Roma na época das Olimpíadas um manuscrito contendo a tradução inglesa de uma opereta que seria publicada em Stuttgart, em 1912, pela editora Novalis; autor: um improvável Otto Schlegel-Kamnitzer; título: *Grundlegung zur Phantastik – Die Kunst Maerchen zu Schreiben*, ou seja, *Fundamentos de uma fantástica – A arte de escrever fábulas*. Com comentários ainda timidamente originais, expunha entre o sério e o burlesco algumas técnicas simples de invenção, as mesmas que depois, durante anos, eu divulgaria nas escolas, contando histórias e respondendo às perguntas das crianças. Sempre havia, é claro, o menino que perguntava: "Como se faz para inventar uma história?" — e merecia uma resposta honesta.

Retomei o trabalho, em seguida, no *Giornale dei Genitore* [*Jornal dos Pais*], onde sugeria técnicas para que os próprios leitores criassem sozinhos suas "histórias de ninar" ("Che cosa succede se il nonno diventa un gatto", dez. 1969; "Un piatto di storie", jan.-fev. 1971; "Storie per ridere", abr. 1971)[5].

Fica feio alinhar tantas datas. A quem mais interessariam? No entanto, me encanta dispô-las uma depois da outra, como se fossem importantes. Vamos fazer de conta que eu esteja jogando aquele jogo que a análise transacional chama de "veja, mamãe, eu consigo caminhar sem as mãos!" Afinal, é sempre gostoso poder gabar-se de alguma coisa...

De 6 a 10 de março de 1972 estive em Reggio Emilia, a convite da prefeitura, participando de uma série de encontros com professores de escolas de educação infantil. Lá apresentei, de forma conclusiva e oficial, todos os meus instrumentos de trabalho.

Três coisas me fazem lembrar daquela semana como uma das mais belas da minha vida. A primeira é que os cartazes de divulgação do evento na cidade anunciavam com todas as letras "Encontros com a fantástica" e pude ler nos muros, emocionado, aquela palavra que me fazia companhia havia 34 anos. A segunda é que o mesmo anúncio advertia que as "reservas" limitavam-se a 50 — um número maior de participantes, obviamente, transformaria os encontros em conferências, que não teriam sido úteis a ninguém. Contudo, o aviso parecia exprimir o receio de que uma multidão incontrolável se deslocasse, em razão do chamariz da "fantástica", para invadir a sala do antigo ginásio dos bombeiros, adornado com colunas de ferro pintadas de violeta, onde se realizou a conferência. Isso foi emocionante. A terceira razão da minha felicidade — a mais substancial — foi a possibilidade que me deram de raciocinar longa e sistematicamente, com controle constante do debate e da experimentação, tanto sobre a função da imaginação e as técnicas para estimulá-la como sobre a maneira de transmitir essas técnicas a todos, criando entre outras coisas um instrumento para a educação linguística (mas não somente...) das crianças.

No final daquele "minicurso" encontrei o texto de cinco conversas, graças ao gravador que as recolheu e à paciência de uma datilógrafa.

O libreto que apresento agora é apenas uma reformulação das conversas de Reggio Emilia. Não representa — agora é necessário esclarecer — nem a tentativa de fundar uma "fantástica" com regras prontas para ser ensinadas e estudadas nas escolas, como a geometria, nem uma teoria completa da imaginação e da invenção, para a qual seriam necessários outros músculos e alguém menos ignorante do que eu. Nem mesmo é um "ensaio". Na verdade, não tenho certeza do que seja. Fala de algumas maneiras de inventar histórias para crianças e de ajudar as crianças a inventar suas histórias — mas sabe-se lá quantas outras maneiras elas poderiam encontrar e descrever. Trata-se apenas de invenção com palavras e só se sugere, sem aprofundamento, ser possível verter as técnicas facilmente para outras linguagens, já que uma história pode ser contada por um só narrador ou por um grupo, mas também transformar-se em teatro ou argumento para uma peça de fantoches, em quadrinhos, filmes, ser gravada em um aparelho e enviada aos amigos — essas técnicas cabem em qualquer tipo de brincadeira infantil, mas se diz muito pouco sobre isso.

Espero que este livrinho também seja útil àqueles que acreditam na necessidade de a imaginação ter lugar na educação, aos que creem na criatividade infantil, a quem sabe o valor libertador que a palavra pode ter. "Todos os usos da palavra para todos" parece-me um bom lema, com uma sonoridade democrática. Não porque todos sejam artistas, mas porque ninguém é escravo.

2. O pedregulho no lago

Um pedregulho lançado em um lago provoca ondas concêntricas na superfície da água, que envolvem com esse movimento, a distâncias diversas e com efeitos diversos, os nenúfares e os juncos, o barquinho de papel e as boias dos pescadores.

Objetos que estavam ali por conta própria, na sua paz ou no seu sono, são como que despertados para a vida, obrigados a reagir, a interagir. Outros movimentos invisíveis propagam-se na profundidade em todas as direções, à medida que a pedra afunda agitando algas, assustando peixes, causando sempre novas alterações moleculares. Quando enfim toca o fundo, revolve o lodo, choca-se com objetos esquecidos, desenterrando alguns, recobrindo outros. Incontáveis acontecimentos, ou microacontecimentos, ocorrem em tempo muito curto. Talvez, nem que se tivesse tempo e vontade eles pudessem ser registrados sem omissões.

Da mesma forma, uma palavra lançada na mente ao acaso produz ondas na superfície e na profundidade; provoca uma série infinita de reações em cadeia, enredando em sua queda sons e imagens, analogias e recordações, significados e sonhos, num movimento que mexe com a experiência e a memória, a fantasia e o inconsciente, e se complica pelo fato de que essa mesma mente não reage de forma passiva à representação, mas nela intervém continuamente, para aceitar e rejeitar, relacionar e censurar, construir e destruir.

Pego como exemplo a palavra "pedregulho". Penetrando na mente, ela recua, avança, evita; em suma, entra em contato:

- com todas as palavras que começam com p mas não levam e a seguir, como pai, papel, pino, poste, pulso;

Gianni Rodari

- com todas as palavras que começam com *pe*, como pena, peso, pêssego, pêndulo, pente;
- com todas as palavras que rimam com ela, como entulho, barulho, embrulho, orgulho, arrulho;
- com todas as palavras que estão ao seu lado no depósito do léxico, para efeito de significado: pedra, rocha, calhau, seixo, cascalho; etc.

Essas são as associações mais preguiçosas. Uma palavra colide com outra por inércia. É difícil que isso baste para sair faísca (mas nunca se sabe).

Enquanto isso, a palavra precipita-se em outras direções, afunda no mundo passado, traz à tona presenças submersas. "Pedra", desse ponto de vista, para mim é Santa Catarina da Pedra, santuário elevado na margem sul do lago Maggiore. Lá eu andava de bicicleta. Lá andávamos de bicicleta, Amedeo e eu. Sentávamos sob um pórtico à sombra para beber vinho branco e falar de Kant[6]. Também nos encontrávamos no trem; éramos estudantes ambulantes. Amedeo usava uma capa azul comprida. Em certos dias, podia-se adivinhar sob a capa a forma da caixa do seu violino. A alça do meu estojo estava quebrada; tinha de carregá-lo embaixo do braço. Amedeo fez parte dos Alpinos[7] e morreu na Rússia.

Outra vez a figura de Amedeo voltou a mim por uma "investigação" sobre a palavra "tijolo", que me lembrava certos fornos baixos, no interior da Lombardia, e longas caminhadas no nevoeiro, ou nos bosques. Muitas vezes Amedeo e eu passávamos tardes inteiras nos bosques conversando — sobre Kant, Dostoiévsky, Montale, Alfonso Gatto[8]. As amizades dos 16 anos são as que deixam marcas mais profundas na vida. Mas isso não importa aqui. É interessante notar como qualquer palavra escolhida ao acaso tem condições de funcionar como magia para escavar campos da memória que jazem sob a poeira do tempo.

Não era diferente o sabor da *madeleine* na memória de Proust[9]. E, depois dele, todos os "escritores de memórias" aprenderam a escutar os ecos sepultos das palavras, dos cheiros, dos sons. Porém, queremos inventar histórias para crianças, não tentar recuperar e salvar nossa vida perdida — se bem que até com as crianças, de vez em quando, é divertido fazer o jogo da memória. Qualquer palavra vai ajudá-las a recordar "aquela vez quando...", a se descobrir no tempo que passa, a medir a distância entre hoje e ontem, embora para elas os "ontens" sejam ainda felizmente pouco numerosos.

O "tema fantástico", nesse tipo de pesquisa que parte de uma única palavra, surge quando se criam combinações estranhas, quando, nos movimentos complexos das imagens e em suas interferências caprichosas, torna-se aparente um parentesco imprevisível entre palavras pertencentes a encadeamentos distintos. "Pedregulho" suscitou "entulho", "orgulho", "arrulho", "barulho"...

Pedregulho e barulho me parecem uma dupla interessante, embora não tão "bela como o encontro fortuito de um guarda-chuva e uma máquina de costura sobre uma mesa de dissecação" (Lautréamont[10], em *As canções de Maldoror*). No confuso conjunto de palavras mencionadas até agora, "pedregulho" está para "barulho" como para "arrulho", um som mais doce. É provável que o violino de Amedeo acrescente um toque mais emocional e ajude a nascer uma imagem musical.

Eis a casa da música, feita de pedregulhos musicais. Suas paredes, encrustadas de arrulhos, respondem com todas as notas. Sei que há um dó sustenido acima do sofá; o fá mais adiante está embaixo da janela; o piso é todo em si bemol maior, um acorde sensacional. Há uma maravilhosa porta eletrônica atonal: basta tocá-la com os dedos que surgem músicas típicas de Nono-Berio-Maderna. Stockhausen deliraria com isso — e entraria em cena com mais direito do que os outros, pois tem uma casa (*haus*) no sobrenome.[11]

Entretanto, não se trata apenas de uma casa. Existe todo um país musical que abrange a casa do piano, a casa da celesta, a casa do fagote. É uma orquestra nacional. À noite, os moradores tocam em casa e fazem um belo concerto juntos antes de dormir... Enquanto todos dormem, um prisioneiro toca a grade de sua cela... Etc.

Agora, a história já começou.

Acho que o prisioneiro entrou na história por causa da oposição entre a liberdade musical e a prisão concreta, que eu não percebera conscientemente, mas sem dúvida a entrevia. A grade seria uma consequência óbvia. Mas acho que não. Devem ter sido sugeridas pela lembrança fugaz do título de um filme antigo, *Prisão sem grades*.

Agora a imaginação pode seguir um caminho diferente:

Caem todas as grades de todos os presídios do mundo. Todos os presos saem. Até os ladrões? Sim, até os ladrões. É a prisão que produz ladrões. Terminada a prisão, os ladrões acabam...

E aqui percebo que, num processo aparentemente mecânico, minha ideologia afunda como que num molde, modificando também o próprio molde. Ouço o eco de leituras antigas e recentes. Os mundos dos excluídos exigem ser designados: orfanatos, reformatórios, asilos, manicômios, salas de aula. A realidade irrompe no exercício surrealista. No final, talvez, se o país musical se tornar uma história, não será um devaneio evasivo, mas uma forma de redescobrir e representar a realidade de novas formas.

Contudo, a exploração da palavra "pedra", à qual fui levado por "pedregulho", não acabou. Ainda tenho de rejeitá-la como organismo com determinado significado e determinado som, decompô-la em suas letras, descobrir as palavras que refutei seguidamente, para chegar à sua pronúncia.

Escrevo cada letra sobre a seguinte:

P
E
D
R
A

Em seguida, ao lado de cada letra, escrevo a primeira palavra que me venha à cabeça, obtendo uma nova sequência (por exemplo:

"pacote", "elevador", "dado", "relógio", "atleta"). Ou, o que é bem mais divertido, escrevo ao lado das cinco letras palavras que formem uma frase com sentido.

P — Pequenos
E — elefantes
D — dormiam
R — roncando
A — alto

Eu não sei o que fazer neste momento com elefantes que roncam, a não ser usá-los para elaborar um *nonsense* rimado:

Grandes formigas embalavam
Pequenos elefantes que roncavam

Porém, não devemos esperar resultados necessariamente interessantes nas primeiras vezes. Procuro outra sequência, seguindo o mesmo princípio:

P — Palavras
E — elegantes
D — diziam
R — roucas
A — asneiras

A palavra "elegante" foi sugerida de imediato pelo "elefante" da sequência anterior, assim como "rouca" foi praticamente imposta por "roncando". De qualquer forma, palavras elegantes dizendo asneiras não é uma imagem de jogar fora.

Eu mesmo inventei muitas histórias partindo de uma palavra escolhida ao acaso. Uma vez, por exemplo, partindo do nome Clara, obtive a sequência clara-clara de ovo-oval-órbita-ovo em órbita. Então eu parei e escrevi uma história intitulada "Um mundo em um ovo", que se situa em algum ponto entre a ficção científica e uma anedota.

Podemos agora deixar pedregulho e pedra seguirem seu destino. Mas não nos iludamos de que esgotamos todas as possibilidades. Disse Paul Valéry: "Não existe palavra compreensível se nela nos aprofundarmos". E Wittgenstein: "As palavras são películas superficiais sobre águas profundas". Procuremos as histórias, portanto, mergulhando na água.[12]

Quanto à palavra "tijolo", recordo um teste de criatividade americano, narrado por Marta Fattori em seu belo livro *Creatività e educazione* [*Criatividade e educação*][13].

Nesse teste, pede-se às crianças que listem todos os usos possíveis de "tijolo" que conhecem ou conseguem imaginar. Talvez a palavra "tijolo" tenha se apoderado de mim com tal força porque li recentemente sobre o teste naquele livro. Infelizmente, esses testes não têm o objetivo de estimular a criatividade infantil, mas apenas medi-la, para selecionar "os melhores em imaginação", assim como outros testes selecionam "os melhores em matemática". Têm sua utilidade, é claro. Mas, em essência, seus objetivos passam despercebidos das crianças.

A brincadeira do "pedregulho no lago", apresentada aqui com brevidade, vai em sentido oposto: deve servir às crianças, não se servir delas.

3. A palavra "olá"

Anos atrás, nas escolas de educação infantil de Reggio Emilia, nasceu a "brincadeira do contador de histórias". As crianças se revezam em um tablado, como se fosse uma espécie de palco, e contam aos colegas, sentados no chão, uma história que inventaram. A professora transcreve a história, e a criança cuida para não esquecer nem mudar nada. Depois, a própria criança ilustra sua história com uma grande pintura. Vou analisar adiante uma dessas histórias espontâneas. Aqui, a "brincadeira do contador de histórias" serve apenas como premissa para o que vem a seguir.

Depois que expliquei como inventar uma história partindo de determinada palavra, a professora Giulia Notari, da Escola de Educação Infantil Diana, perguntou se alguma criança tinha vontade de inventar uma história naquele novo sistema e sugeriu a palavra "olá". Um menino de cinco anos contou esta história:

> Um garotinho tinha perdido todas as palavras bonitas e ficou com as feias: cocô, meleca, idiota e assim por diante.
>
> Então sua mãe o levou a um médico, que tinha um bigode deste tamanho, e o médico lhe disse: "Abra a boca, língua para fora, para cima, para dentro e encha as bochechas".
>
> O médico disse que o menino precisava procurar uma palavra bonita. Primeiro encontrou uma palavra deste tamanho (indicou um comprimento de uns vinte centímetros) que era "droga", mas muito feia. Depois encontrou uma deste tamanho (cerca de cinquenta centímetros), que era "arranje-se", feia também. Então encontrou uma palavrinha cor-de-rosa, que era "olá". Ele pôs a palavrinha no bolso, levou-a para casa e aprendeu a dizer palavras gentis e ficou bom.

Gianni Rodari

No decorrer da história, os colegas ouvintes interferiram duas vezes para coletar e desenvolver material propiciado pela narrativa. De uma primeira vez, com o tema das palavras "feias", improvisaram alegremente uma ladainha de "palavrões", recitando todos aqueles que conheciam e haviam sido lembrados por causa do primeiro termo usado. Claro que eles fizeram isso como um desafio, um exercício libertador de comicidade escatológica, que qualquer um que tenha lidado com crianças conhece bem. Tecnicamente, o jogo de associações desenvolvia-se de acordo com o que os linguistas chamam "eixo de seleção" (Jakobson[14]), como uma busca de palavras vizinhas ao longo da cadeia de significados. Mas aquelas palavras não apresentavam um desvio, um abandono do tema da narrativa: ao contrário, tornaram-no mais claro e determinaram seu desenvolvimento. Na obra do poeta, diz Jakobson, o "eixo de seleção" se projeta sobre o "eixo de combinação": pode ser um som (uma rima) que faz lembrar um sentido, uma analogia verbal que desperta a metáfora. Quando a criança inventa uma história, acontece o mesmo. Trata-se de uma operação criativa que tem também um aspecto estético: o que nos interessa aqui é a criatividade, não a arte.

Da segunda vez, os ouvintes interromperam o narrador para "brincar de médico", em busca de variações do tradicional "ponha a língua para fora". A diversão aí tinha um duplo sentido: psicológico, na medida em que dramatizava comicamente a figura sempre um pouco temida do médico, e competitivo, para quem encontrasse a variação mais surpreendente e inesperada ("ponha a língua para dentro"). Uma brincadeira desse tipo já é teatro; é a unidade mínima da dramatização.

Mas voltemos à estrutura da história. Na verdade, ela não se baseia exclusivamente na palavra "olá", isto é, em seu significado e em seu som. O menino que fez as vezes de narrador pegou como tema a expressão "a palavra olá" como um todo. É por isso que na sua imaginação não prevaleceu — embora isso tenha acontecido em outro momento — a procura de palavras próximas ou semelhantes, de situações em que a palavra foi usada de uma ou de outra maneira:

Gramática da fantasia

mesmo o uso mais simples, o de saudação, parece substancialmente rejeitado. Ao contrário, a expressão "a palavra olá" deu origem imediata, no "eixo de seleção", à construção de duas classes de palavras: as "palavras bonitas" e as "palavras feias", e, em seguida, por meio de gestos, a outras duas classes, a das "palavras curtas" e a das "palavras compridas".

Aqueles gestos não eram uma improvisação, mas uma apropriação. O menino certamente vira na TV a publicidade de uma fábrica de caramelos em que aparecem duas mãos que batem palma e se afastam enquanto surge entre elas o nome dos doces anunciados. O garotinho guardou aquele gesto na memória e serviu-se dele de modo original e pessoal. Ignorou a mensagem publicitária, mas guardou a implícita, não programada: o gesto que mede o comprimento das palavras. Nunca se tem certeza do que uma criança aprende assistindo à televisão. E sua capacidade de reagir criativamente ao que vê não deve ser subestimada.

Na história intervém de modo evidente a censura exercida pelo modelo cultural. O menino definiu como "feias" as palavras que lhe ensinaram em casa a considerar inconvenientes. Foram os pais que definiram por ele o que é "feio". Mas ele frequenta um ambiente educacional empenhado em superar certos condicionamentos, uma escola não repressiva, onde não se repreende o uso de alguns daqueles termos. Desse ponto de vista, o resultado mais extraordinário da história consiste no abandono final daquela classe de palavras instituída no começo.

As palavras "feias" que a criança encontra — "caramba", "arranje--se" — não são "feias" em relação a um modelo repressivo; ao contrário, são palavras que afastam e ofendem as pessoas, que não ajudam a fazer amigos, a estar acompanhado, a brincar juntos. Elas são o oposto não mais das palavras abstratamente "bonitas", mas das palavras "justas e gentis". Eis aí uma nova classe de palavra, em que se revelam os novos valores que a criança absorve naquela escola.

A mente chegou a esse resultado reagindo às próprias imagens, julgando-as, controlando as suas associações com a ajuda de toda aquela personalidadezinha em ação. E fica claro por que "olá" deve ser uma "palavrinha cor-de-rosa": uma cor delicada, doce, nada agressiva. A cor é uma indicação de valor. Todavia, é um pecado não ter perguntado ao menino: "Por que rosa?" A resposta teria nos ensinado algo que não sabíamos e agora é extremamente difícil reaver.

4. O binômio fantástico

Vimos nascer de uma única palavra o tema do fantástico — a primeira inspiração para uma história. Tudo não passou, porém, de uma ilusão de ótica. Na realidade, não basta um polo elétrico para provocar uma faísca; são necessários dois. A palavra sozinha "age" apenas quando encontra outra que a provoca, que a obriga a sair do lugar-comum e se redescobrir em novos significados. Não há vida onde não há luta.

Isso depende do fato de que a imaginação não é uma faculdade separada da mente: é a própria mente, em sua totalidade, que, aplicada mais vezes a uma atividade do que a outra, usa sempre os mesmos procedimentos. E a mente nasce na luta, não no sossego.

Em *As origens do pensamento na criança*, Henri Wallon[15] escreveu que o pensamento se forma em duplas. A ideia de "mole" não se forma nem antes nem depois da ideia de "duro", mas ao mesmo tempo, em um encontro fecundo: "O elemento fundamental do pensamento é essa estrutura binária, não apenas os elementos que a compõem. A dupla e o par são anteriores ao elemento isolado".

Logo, no princípio era a oposição. Paul Klee[16] tem o mesmo entendimento quando escreve em seu *Escritos sobre a teoria da forma e da figura* que "o conceito não existe sem o seu oposto. Não existem conceitos em si, mas em geral são 'binômios de conceitos'".

Uma história só pode nascer de um "binômio fantástico".

"Cavalo-cachorro" não é exatamente um "binômio fantástico". É uma simples associação de elementos de uma mesma classe zoológica. A imaginação assiste indiferente à lembrança dos dois quadrúpedes. É um acorde de terça maior; não promete nada empolgante.

É necessária certa distância entre as duas palavras; é preciso que uma seja suficientemente estranha à outra, e sua aproximação deve ser discretamente insólita, para que a imaginação se veja obrigada a instituir um parentesco entre elas e criar um conjunto (fantástico) no qual os dois elementos estranhos possam conviver. Por isso é bom escolher o binômio fantástico com a ajuda do acaso. As duas palavras são ditas por duas crianças, sem que a outra ouça, ou indicadas às cegas nas páginas de um dicionário.

Quando eu era professor, mandava um aluno escrever uma palavra no lado da lousa visível para a turma, enquanto outro escrevia outra palavra na parte de trás. O pequeno rito preparatório tinha sua importância: criava expectativa. Se um aluno escrevia, à vista de todos, a palavra "cachorro", essa palavra se tornava imediatamente especial, pronta para fazer parte de uma surpresa, inserindo-se num acontecimento imprevisível. Aquele "cachorro" não era um quadrúpede qualquer; já era uma personagem aventureira, disponível, fantástica. Ao virar a lousa, lia-se, suponhamos, a palavra "armário". Uma risada gostosa saudava-a. A palavra "ornitorrinco" ou "tetraedro" não faria tamanho sucesso. Ora, um armário em si não faz rir nem chorar. É uma presença inerte e banal. Mas aquele armário, fazendo dupla com um cachorro, era outra coisa. Era uma descoberta, uma invenção, um estímulo empolgante.

Anos depois, li o que Max Ernst[17] escreveu para explicar o seu conceito de "desambientação sistemática". Ele serviu-se exatamente da imagem de um armário, aquele pintado por De Chirico[18] no meio de uma bela paisagem clássica, entre oliveiras e templos gregos. Assim "desambientado", precipitado num contexto inédito, o armário tornava-se um objeto misterioso. Talvez estivesse cheio de vestidos, talvez não, mas certamente estava cheio de fascínio.

Víktor Chklóvsky descreve o efeito de "distanciamento" obtido por Tôlstoi[19] ao descrever um simples sofá com termos que seriam usados por uma pessoa que nunca viu um sofá nem suspeita de seus possíveis usos.

No "binômio fantástico", as palavras não estão presas ao seu significado cotidiano, mas libertas da cadeia verbal da qual fazem parte

Gramática da fantasia

cotidianamente. São "estranhas", "desambientadas", jogadas uma contra a outra em mares nunca dantes navegados. Só então se encontram em condições ideais para gerar uma história.

Neste ponto, passemos às palavras "cachorro" e "armário".

O procedimento mais simples para criar uma relação entre elas é ligá-las com uma preposição. Obteremos diversas imagens:

- o cachorro com o armário;
- o armário do cachorro;
- o cachorro sobre o armário;
- o cachorro no armário; etc.

Qualquer uma dessas imagens nos dá o esboço de uma situação fantástica:

1. Um cachorro passa pela estrada com um armário nas costas. É a casa dele — o que se há de fazer? Ele a traz sempre nas costas, como os caramujos fazem com sua concha. E daí continua a história.

2. O armário do cachorro me parece, mais do que qualquer outra coisa, uma ideia para arquitetos, *designers*, decoradores de luxo. É feito para guardar suas roupinhas, sua coleção de focinheiras e coleiras, pantufas para o frio, ossos de borracha, gatos de brinquedo, o guia da cidade (para ele buscar o leite, o jornal e os cigarros de seu dono). Não me vem nenhuma ideia de história.

3. O cachorro no armário é uma ideia mais convidativa. O doutor Polifemo volta para casa, abre o armário para pegar o roupão e encontra um cachorro lá dentro. Somos de imediato desafiados a encontrar uma explicação para essa aparição. Mas deixemos a explicação de lado. É mais interessante, no momento, analisar de perto a situação. O cachorro é de uma raça indefinível. Afável com o próximo, abana o rabo afetuosamente, dá a pata educadamente, mas não quer saber de sair do armário, por mais que o doutor Polifemo lhe implore. Depois, o doutor vai tomar um banho e encontra outro cachorro no armário do banheiro. No

armário da cozinha há outro, outro na lava-louças, outro na geladeira, meio enregelado. Há um *poodle* no armário de vassouras e um *chihuahua* na gaveta da escrivaninha. O doutor Polifemo bem que podia, a essa altura, chamar o zelador para ajudá-lo a expulsar os invasores, mas não é o que o seu coração de amante de cães lhe ordena. Em vez disso, ele corre ao açougue e compra dez quilos de filé para alimentar seus hóspedes. Todos os dias, daquele em diante, ele compra dez quilos de carne. E acaba chamando a atenção. O açougueiro suspeita. Os boatos correm. Cresce a maledicência. Proliferam as calúnias. Aquele tal de doutor Polifemo não teria em casa espiões atômicos? Não estaria fazendo experimentos diabólicos com todo aquele filé e contrafilé? O pobre doutor perde a clientela. Alguém o denuncia à polícia. O delegado ordena uma revista em sua casa. E assim descobrem que o inocente doutor Polifemo suportou tantas perseguições apenas por amor aos cães. Etc.

Nesse estágio, a história é apenas "matéria-prima". Trabalhá-la como produto final seria tarefa para um escritor. Para nós interessa apenas exemplificar o uso de um "binômio fantástico". O *nonsense* pode permanecer. Trata-se de uma técnica que as crianças conseguem aplicar bastante bem, divertindo-se muito, como eu mesmo pude constatar em tantas escolas da Itália. O exercício, bem entendido, tem uma importância real, de que voltarei a falar em momento oportuno. Mas não vamos deixar de lado seus alegres resultados. Em nossas escolas, de modo geral, se ri muito pouco. A ideia de que a educação deva ser uma coisa triste está entre as mais difíceis de combater. Giacomo Leopardi[20] já sabia disso quando escreveu, em 1º de agosto de 1823:

A mais bela e afortunada idade do homem, a infância, é atormentada de mil maneiras, com mil angústias, temores, cansaço dos estudos e da instrução, tanto que o homem adulto, ainda que em meio à infelicidade […] não aceitaria voltar a ser criança sob a condição de sofrer o mesmo que sofreu na infância.

5. "Luz" e "sapatos"

A história a seguir foi inventada por um menino de cinco anos e meio, com a intervenção de três colegas, na escola de educação infantil Diana, em Reggio Emilia. O "binômio fantástico" de onde a história nasceu — "luz" e "sapatos" — foi sugerido pela professora (um dia depois de termos conversado sobre essa técnica em nosso curso). Sem mais rodeios, ei-la aqui:

Era uma vez um menino que sempre punha os sapatos do pai. Uma noite, o pai do menino se cansou de ficar sem sapatos e pendurou o menino no lustre, mas quando era meia-noite o menino caiu, e o pai disse: "O que será? Um ladrão?"

Foi ver e encontrou o menino no chão. O menino tinha ficado todo aceso. Então o pai experimentou girar-lhe a cabeça, mas ele não se apagou; experimentou puxar-lhe as orelhas, mas ele não se apagou; experimentou apertar-lhe o nariz, mas ele não se apagou; experimentou puxar-lhe os cabelos, mas ele não se apagou; experimentou apertar-lhe o umbigo, mas ele não se apagou; experimentou tirar-lhe os sapatos, e conseguiu: ele se apagou.

A solução final, que não havia sido sugerida pelo narrador principal, mas por outro pequenino, foi tão apreciada pelas crianças que elas sentiram necessidade de aplaudir — de fato, era a imagem que arrematava perfeita e logicamente a história, dando-lhe sentido completo, mas era também mais do que isso.

Acho que o próprio doutor Freud[21], mesmo como fantasma, teria ficado profundamente comovido se ouvisse essa história, que pode ser interpretada facilmente à luz do "complexo de Édipo". Mesmo no início, em que o menino calça os sapatos do pai... "Estar nos sapatos do pai" para ocupar seu lugar ao lado da mãe. Percebe-se a disputa, repleta de imagens de morte. "Pendurar algo" também significa "suspender", "enforcar"... E o menino estava "no chão" ou "sob o chão"? Não deve haver dúvida a respeito do final se o lermos corretamente: "e conseguiu: o menino se apagou" (isto é, morreu), o que dá ao drama uma conclusão trágica. "Apagar" e "morrer" são sinônimos — "Apagou-se com o beijo do Senhor" é uma expressão italiana que se vê em obituários. Triunfa o mais velho e mais maduro; triunfa à meia-noite, a hora dos espíritos. E antes da morte houve torturas, como "torcer a cabeça", "puxar as orelhas", "apertar o nariz"...

Não insistirei nesse exercício não autorizado da psicanálise. Que os especialistas se manifestem a respeito: "*videant consules*"...[22]

Se o inconsciente se apoderou do "binômio fantástico" para encenar seus dramas, o ponto exato de sua inserção parece-me, entretanto, o reflexo imediato que a palavra "sapatos" suscita na experiência infantil. Todas as crianças brincam com os sapatos do pai e da mãe — para ser "eles"; para ficar mais altas. E também, simplesmente, para ser "outras".

A brincadeira de se fantasiar, além da sua importância simbólica, é sempre divertida pelos efeitos grotescos dela decorrentes. É teatro: colocar-se na roupa dos outros, colocar-se em um papel, inventar uma vida, descobrir novos gestos. Pena que, em geral, só no carnaval as crianças podem se fantasiar, usar o paletó do pai, a saia da avó. Deveria existir nas casas um cesto de roupas velhas para elas se fantasiarem. Nas escolas de educação infantil de Reggio Emilia, não há apenas um cesto, mas um guarda-roupa inteiro. Em Roma, no mercado da rua Sannio, vendem-se todos os tipos de fantasia, vestidos de baile e sobras da moda: era lá aonde íamos, quando nossa filha era pequena, para abastecer seu cesto. As amigas dela gostavam da nossa casa por causa dele.

Por que o menino ficou "aceso"? O motivo mais óbvio estaria na analogia: "pendurado" no lustre, como uma lâmpada, o menino

Gramática da fantasia

se comporta como uma lâmpada. Essa explicação só seria suficiente, porém, se o menino tivesse "acendido" no momento exato em que o pai o pendurou. No entanto, a história não registra o acendimento. Encontramos o menino "aceso" só depois que está no chão. Acredito que a imaginação tenha precisado de algum tempo (átimos) para descobrir essa analogia, porque a analogia não se revela imediatamente numa "visão" — o narrador "vê" o menino "pendurado" e o vê "aceso" —, mas se originou do eixo da "seleção verbal". Desenvolveu-se na cabeça da criança, à medida que a história continuava, um processo "à parte", permeado pelos ecos da palavra "pendurado". Eis o encadeamento: "pendurado", "preso", "aceso". A analogia verbal e a rima não pronunciada originaram a analogia da imagem visual. Em suma, ocorreu aquele trabalho de "condensação das imagens" que o doutor Freud — sempre ele, aquele bendito vienense — descreveu tão bem quando estudou os processos criativos do sonho. Desse ponto de vista, a história se apresenta de fato como um "sonho de olhos abertos". Tem toda a atmosfera, a predisposição para o absurdo, o acúmulo de temas.

Desse clima surgem as tentativas do pai de "apagar" o "menino-lustre". As variações sobre o tema são impostas pela analogia, mas se movem em planos distintos: há, de fato, tanto a experiência dos gestos necessários para desligar uma luminária (desenroscar a lâmpada, apertar o interruptor, puxar um cordão etc.) quanto a experiência do próprio corpo (é assim que se vai da cabeça às orelhas, ao nariz, ao umbigo etc.). Nessa altura, a brincadeira é coletiva. O narrador principal foi apenas quem detonou uma explosão que atingiu a todos, com um efeito que os cibernéticos chamariam de "amplificação".

Enquanto procuravam novas variações, as crianças se observavam, tentando encontrar no corpo dos colegas uma ideia para uma nova solução: o presente intervém na história, suas imagens sugerem novos significados, em um processo análogo à capacidade da rima de sugerir ao poeta, durante o trabalho, significados, por assim dizer, externos à situação lírica. Os gestos listados rimam, embora não pelo som. E são "rimas emparelhadas", ou seja, as mais simples, como é de esperar em um poema para crianças.

A variação final — "tirar-lhe os sapatos, e conseguiu: ele se apagou" — representa uma ruptura com o sonho ainda mais decisiva. É uma conclusão lógica. Eram os sapatos do pai que mantinham o menino aceso, pois foi com eles que tudo começou: basta tirar os sapatos para que a luz se apague, e assim se fecha a história. Foi um pensamento lógico embrionário que acionou o instrumento mágico — "os sapatos do papai" — em sentido oposto ao ato inicial.

No momento em que fizeram essa descoberta, as crianças introduziram, no livre exercício da imaginação, o elemento matemático da "reversibilidade" como metáfora, ainda não como conceito. Chegaremos ao conceito mais adiante; todavia, talvez a imagem fabulística tenha criado a base para estruturar o conceito.

Uma última observação (última apenas por acaso, é claro) diz respeito à inclusão de "valores" na história. Desse ponto de vista, trata-se de uma história de desobediência punida, nos moldes de um modelo cultural bastante tradicional. Deve-se obedecer ao pai, que tem o direito de punir. A censura interveio para manter a história dentro dos limites da moral familiar.

Após a intervenção da censura, pode-se realmente dizer que foram postos "mão e céu e terra"[23] na história: o inconsciente com seus conflitos, experiência, memória, ideologia, a palavra em todas as suas funções. Uma leitura puramente psicológica, ou psicanalítica, não teria sido suficiente para esclarecer todos os aspectos — coisa que tentei fazer, ainda que de forma breve.

6. O que aconteceria se...

"As hipóteses são redes", escreveu Novalis. "Você as lança e cedo ou tarde encontra alguma coisa."

Eis um exemplo famoso: o que aconteceria se um homem acordasse transformado em uma barata repugnante? Essa pergunta já foi respondida por Franz Kafka[24] no livro *A metamorfose*. Não estou dizendo que o livro nasceu exatamente dessa pergunta, mas a sua forma segue por certo o desenvolvimento de uma hipótese fantástica até suas consequências mais trágicas. Nessa hipótese, tudo se torna lógico e humano, carregado de significados abertos a diversas interpretações — o símbolo vive uma vida autônoma e se adapta a inúmeras realidades.

A técnica das "hipóteses fantásticas" é muito simples. Sua forma precisa é a da pergunta "o que aconteceria se...?"

Para formular a pergunta, escolhe-se ao acaso um sujeito e um predicado. A união de ambos fornecerá a hipótese sobre a qual se deve trabalhar.

Tomemos o sujeito "Reggio Emilia" e o predicado "voar": o que aconteceria se a cidade de Reggio Emilia voasse?

Ou então o sujeito "Milão" e o predicado "cercada pelo mar": o que aconteceria se de repente Milão se visse cercada pelo mar?

Vejamos duas situações em que os acontecimentos narrativos se multiplicam espontaneamente ao infinito. A fim de reservar material, imaginemos as reações de diversas pessoas à novidade extraordinária, incidentes de todos os tipos que eles originam, as discussões decorrentes. Podemos escolher um protagonista — um menino, por exemplo — e fazer a aventura girar em torno dele, como num carrossel de imprevistos.

Percebi que as crianças do campo, diante de um tema desse tipo, atribuem a descoberta da novidade ao padeiro da aldeia, porque ele se levanta mais cedo, antes mesmo de os sinos tocarem para a missa. Na cidade é o guarda-noturno quem faz a descoberta, e as crianças, seja por espírito cívico ou afeto familiar, acreditam que o guarda avisaria primeiro o prefeito ou sua mulher.

As crianças da cidade quase sempre se limitam a pôr em ação personagens desconhecidas. Mais felizes, as do campo não se limitam a pensar num "padeiro" genérico, mas logo se lembram do padeiro Giuseppe (esse nome é obrigatório para mim; meu pai era padeiro e se chamava Giuseppe), e isso as ajuda a imediatamente introduzir na história pessoas conhecidas, parentes, amigos. A brincadeira fica mais divertida.

Nos artigos que publiquei no *Paese Sera*, já citados, eu fazia as seguintes perguntas:

- O que aconteceria se todos na Sicília perdessem os botões das suas roupas?
- O que aconteceria se um crocodilo batesse na sua porta pedindo um pouco de alecrim?
- O que aconteceria se o seu elevador afundasse para o centro da Terra ou subisse até a Lua?

Somente o terceiro tema se tornaria uma história completa, protagonizada pelo garçom de um bar.

Também para as crianças o divertimento maior reside na formulação de perguntas engraçadas e surpreendentes, justamente porque o trabalho seguinte, isto é, o desenvolvimento do tema, nada mais é do que a aplicação e a ampliação de uma descoberta já feita, a menos que o tema — envolvendo a experiência pessoal da criança, seu ambiente, sua comunidade — se preste a uma intervenção direta e insólita em uma realidade repleta de significados para ela.

Recentemente, nos anos finais do ensino fundamental, formulamos juntos, eu e as crianças, a seguinte pergunta: o que aconteceria se

Gramática da fantasia

um crocodilo participasse de um programa de perguntas e respostas na televisão?

Acabou sendo muito produtivo. Foi como descobrir uma nova maneira de assistir à TV, útil até para julgar essa experiência. Surgiram algumas passagens boas, a começar pela entrevista do crocodilo, que pede para ser admitido no programa como especialista em piscicultura, e pelos aturdidos funcionários da emissora. Nas respostas propriamente ditas, o crocodilo mostrou-se imbatível. A cada rodada devorava um concorrente, sem sequer derramar uma lágrima. No final, engoliu também o famoso apresentador Mike Bongiorno, mas, por sua vez, foi devorado pela assistente Sabina, da qual os meninos eram admiradores fervorosos, e por isso queriam que ela vencesse a todo custo.

Depois reescrevi a história para inseri-la em meu livro *Novelle fatte a macchina* [*Contos feitos à máquina*]. Na minha história, o crocodilo é um especialista em cocô de gato — matéria fecal, se preferirem —, muito eficaz para conferir à história uma função desmitificadora. No final, Sabina não come o crocodilo, mas o obriga a devolver suas vítimas na ordem inversa daquela em que foram engolidas.

Não se trata mais de *nonsense*, parece-me. Estamos, o que é óbvio, usando a fantasia para estabelecer uma relação ativa com a realidade.

É possível admirar o mundo da altura de um ser humano, mas também do alto de uma nuvem (com os aviões fica fácil). Pode-se entrar na realidade pela porta principal ou por uma janela — é mais divertido.

7. O avô de Lênin

Este capítulo curto é apenas a continuação do anterior. Mas a ideia de colocar o avô de Lênin em um título me agradava tanto que não renunciei à interrupção arbitrária.

A casa de campo do avô de Lênin ficava nos arredores de Cazã — capital da República Autônoma dos Tártaros[25] —, perto do topo de um morro baixo, aos pés do qual corre, levando seus patos, um riachinho de fazenda coletiva. Um belo lugar, onde bebi um bom vinho com meus amigos tártaros.

Uma das paredes da sala, com três grandes janelas, dava para o jardim. As crianças, entre as quais Volódia[26] Uliánov, o futuro Lênin, entravam e saíam de casa muito mais pela janela do que pela porta. O sábio doutor Blank (avô materno de Lênin), tomando cuidado para não proibir aquela diversão inocente, colocou bancos robustos sob as janelas, para que os pequenos os usassem sem correr o risco de quebrar o pescoço. Parece-me um modo exemplar de se colocar a serviço da imaginação infantil.

Com as histórias e os procedimentos fantásticos para produzi-las, ajudamos as crianças, na realidade, a entrar mais pela janela que pela porta. É mais divertido e, portanto, mais útil.

Além disso, nada nos impede de contrariar a realidade com hipóteses mais desafiadoras.

Por exemplo, o que aconteceria se em todo o mundo, de um polo ao outro, de um momento para o outro, o dinheiro desaparecesse?

Esse não é apenas um tema para a imaginação infantil. Por isso mesmo acredito que seja um tema particularmente adequado para as crianças, que gostam de lidar com problemas maiores do que elas. É

Gramática da fantasia

o único modo de que dispõem para crescer. E não resta dúvida de que elas querem, antes de tudo e acima de tudo, crescer.

Na verdade, só reconhecemos o direito de crescer em palavras. Cada vez que as crianças as levam a sério, empregamos toda a nossa autoridade para impedi-lo.

Cabe-me apenas observar, a propósito da "hipótese fantástica", que se trata, enfim, apenas de um caso particular de "binômio fantástico", representado pela associação arbitrária de determinado sujeito a determinado predicado. Mudam-se os componentes do "binômio", não a sua função. No caso geral, descrito no capítulo anterior, concebemos "binômios" constituídos por dois nomes. Na hipótese fantástica, em vez disso, associam-se um substantivo e um verbo, um sujeito e um predicado, ou ainda um sujeito e um atributo.

Exemplos:

- *substantivo e verbo:* a cidade-voa;
- *sujeito e predicado:* Milão-está cercada pelo mar;
- *sujeito e predicativo:* o crocodilo-especialista em cocô de gato.

Não duvido de que existam outras formas de "hipóteses fantásticas". Mas, quanto aos objetivos deste livro, as que citei parecem suficientes. (A rima, obtida com alguma licença gramatical, tem função provocativa; espero que você perceba.)

8. O prefixo arbitrário

Um dos modos para tornar produtivas as palavras, na esfera da fantasia, é deformá-las. As crianças devem fazê-lo como numa brincadeira — brincadeira de conteúdo muito sério, porque as ajuda a explorar as possibilidades das palavras, a dominá-las, forçando variações inéditas; estimula a liberdade das crianças como seres "falantes", com direito à "palavra" pessoal (obrigado, sr. Saussure[27]); encoraja nelas o inconformismo.

O espírito dessa brincadeira está no uso de um prefixo arbitrário, recurso que eu mesmo usei muitas vezes.

Basta um *des-* para transformar um "apontador" — objeto cotidiano insignificante, porém perigoso e agressivo — em um "desapontador", objeto fantástico e pacifista, que não serve para fazer a ponta do lápis, mas a ajudaria a crescer sozinha quando estivesse gasta, para a ira das papelarias e contra o consumismo. Isso sem falar nas alusões de conotação sexual, bastante ocultas, mas nem por isso irreconhecíveis (sob o nível da consciência) pelas crianças.

O mesmo prefixo me dá "descabide", isto é, o contrário de "cabide" de parede: não serve para pendurar roupas, mas sim para pegá-las quando precisamos delas. Tudo isso acontece num país de vitrines sem vidro, lojas sem caixas registradoras e guarda-roupas sem nota fiscal. Do prefixo à utopia. Contudo, certamente não é proibido imaginar um lugar no futuro onde as roupas sejam gratuitas como a água e o ar. E a utopia não é menos instrutiva que o espírito crítico. Basta transferi-la do mundo do intelecto (que Gramsci[28], com razão, associa ao pessimismo metódico) para o mundo da vontade (cuja característica principal, segundo o próprio Gramsci, deve ser o otimismo). Resumindo: até o "cabide" é um "tigre de papel"[29].

Inventei então o "país com des na frente", onde há um "descanhão", que serve, antes de mais nada, para desfazer a guerra — nesse caso, o "senso do *nonsense*" (a expressão é de Alfonso Gatto) me parece transparente.

O prefixo "bi" nos presenteia com a "bicaneta", que escreve dobrado (muito útil, talvez, para estudantes gêmeos...), o "bicachimbo", para fumantes inveterados, a "biterra"...

Existe outra Terra. Vivemos nesta e naquela ao mesmo tempo. Lá está correto o que aqui está errado. E vice-versa. Todos nós somos em dobro.

(A ficção científica já fez amplo uso de hipóteses semelhantes, e também por isso me parece legítimo falar delas às crianças.)

Em uma história antiga, apresentei os "arquicães", os "arquiossos" e o "trinóculo" (produto do prefixo "tri", como o "triboi", animal ainda ignorado pela zoologia).

Tenho em meu arquivo um "antiguarda-chuva", mas ainda não consegui imaginar um uso para ele...

O prefixo *des-* presta-se maravilhosamente às destruições, e com ele obtemos facilmente a "destarefa", ou seja, uma tarefa que não precisamos fazer logo ao chegar em casa, mas bem aos pouquinhos...

Voltando à zoologia, para libertá-la dos parênteses dentro dos quais nos espiava, encontramos o "vice-cachorro" e o "subgato", animais que darei de presente a quem usá-los em suas histórias.

Já que estou dando presentes, ofereço a Italo Calvino[30], autor de *O visconde partido ao meio*, um "semifantasma", metade homem de carne e osso, metade fantasma com lençóis e correntes, que deve provocar sustos muito engraçados.

O super-homem já existe nas histórias em quadrinhos e é um caso bem conhecido de aplicação do "prefixo fantástico" (talvez copiado do super-homem de Nietzsche[31], coitadinho). Mas, querendo um "supergoleador" ou um "superfósforo" (capaz, imagino, de acender a Via Láctea), é só fabricá-los.

Parecem-me particularmente produtivos prefixos mais recentes, surgidos no século XX. Como *micro-*, como *mini-*, como *maxi-*. Eis aí

— sempre grátis — um "micro-hipopótamo" (para os aquários domésticos); um "miniarranha-céu", habitado por "minimilionários", tudo em uma "minigaveta"; uma "maxicoberta", capaz de cobrir no inverno todas as pessoas que morrem de frio...

Resta apenas observar que o "prefixo fantástico" é, além disso, um caso particular de "binômio fantástico", no qual os dois termos são representados pelo prefixo escolhido para originar novas imagens e pela palavra escolhida para ser enobrecida pelas deformações.

Caso devesse prescrever aqui um exercício, sugeriria o de fazer lado a lado duas colunas, uma de prefixos e outra de substantivos escolhidos aleatoriamente, e conjugá-los por sorteio. Noventa e nove casamentos celebrados com esse ritual fracassam na noite de núpcias; o centésimo revela-se um enlace feliz e fecundo.

9. O erro criativo

Não é novidade que de um lapso pode nascer uma história. Se, ao datilografar um artigo, me acontece de escrever "Alfácia" em vez de "Alsácia", descobrirei uma nova região, saborosa e saudável. Seria um pecado apagá-la do mapa das possibilidades; é melhor explorá-la como turistas da fantasia.

Se uma criança escreve em seu caderno "Aslagoas", tenho duas opções: ou corrigir-lhe o erro com uma caneta vermelha, riscando o primeiro *s*, ou acompanhá-la em sua ousadia e escrever a história e a geografia dessas "lagoas" importantíssimas. Quem sabe possa até localizá-las no mapa ou ficar imaginando o reflexo da Lua sobre tantos espelhos de água.

Um exemplo magnífico de erro criativo encontra-se na *Cinderela* de Charles Perrault[32], segundo afirma Thompson[33] em *Le fiabe nella tradizione popolare* [*Os contos na tradição popular*]: os sapatinhos, na origem, deviam ser de *"vaire"* — um tipo de pelica —, e só por um erro feliz tornaram-se de *"verre"*, isto é, de vidro. Um sapatinho de vidro é sem dúvida mais fantástico que um sapato de qualquer couro e mais rico de seduções, ainda que fruto de um jogo de palavras ou um erro de transcrição.[34]

O erro ortográfico, se bem examinado, pode dar lugar a muitas histórias cômicas e instrutivas, não sem implicações ideológicas, como eu mesmo tive a oportunidade de descrever em meu *Libro degli errori* [*Livro dos erros*]. "Itaglia", com *g*, não é apenas uma licença escolar. Existem realmente pessoas que parecem gritar "I-ta-glia, I-ta-glia", com um enorme *g* a mais, o que traduz um excesso nacionalista e um tantinho fascista por dentro. A Itália não precisa de um *g* no meio, mas de gente honesta e decente. E, no mínimo, de revolucionários inteligentes.[35]

Se de todas as palavras do dicionário desaparecesse o *h* inicial, que as crianças esquecem tão frequentemente ao escrever, ocorreriam situações interessantes: a hora, transformada em "ora", pediria demissão do relógio e trabalharia na gramática, como conjunção ou advérbio; "umor" seria menos bem-humorado sem a graça do *h*; "ino" ganharia mais musicalidade que um hino completo...

Muitos dos "erros" das crianças não são erros: são criações autônomas das quais se servem para assimilar uma realidade desconhecida. "Pastilha" e "pastilhinha" podem soar como palavras sem sentido ao ouvido infantil. A criança não confia nelas e, assimilando o objeto pela ação que ele implica, usa a palavra "mastiguinha". Todas as crianças inventam coisas assim.

De volta da escola, uma menina disse à mãe: "Não entendo. A freira sempre diz que São José é muito bom. Hoje ela chamou ele de um nome feio; disse que ele é o pai putativo de Jesus Cristo". Evidentemente, a palavra "adotivo" não lhe dizia nada: sua mente interpretava a sonoridade da palavra com base em outra já conhecida. Todas as mães dispõem de um bom repertório de piadas desse tipo.

Em todo erro existe a possibilidade de uma história.

Uma vez, sugeri a uma criança que havia escrito — erro insólito — "caxa" em lugar de "casa" que inventasse a história de um homem que morava em uma caixa. Outras crianças aproveitaram o tema. Dele surgiram muitas histórias: havia um homem que morava num caixão de defunto; outro, pequenininho, morava numa caixa de verduras e acabava indo parar no mercado, entre brócolis e cenouras, e alguém resolvia comprá-lo a peso.

Um "libro" será um livro mais pesado que os outros, um livro equivocado ou um livro muito especial?

Uma "expingarda", com um *x* no lugar do *s*, dispara balas, plumas ou violetas?

Além disso, rir dos erros já é uma maneira de evidenciá-los. A palavra certa existe apenas em oposição à palavra errada. E com essa oposição voltamos ao "binômio fantástico", cuja exploração do erro, voluntário ou involuntário, é um caso interessante e sutil. O primeiro

Gramática da fantasia

termo do "binômio" dá de fato vida ao segundo, quase por partenogênese. A "serpente biônica" nasce da "serpente pitônica", de modo claramente diverso de como um "contrabaixo" nasce de "baixo". E os dois objetos — por exemplo, "água" e "ácua" (com *c* em lugar de *g*) — tornam-se parentes muito próximos: só se deduz o significado do segundo pelo significado do primeiro. É uma "doença" do primeiro significado. Isso fica claro com o exemplo de "coração" e "corassão". Este, sem sombra de dúvida, é um coração doente. Precisa de vitamina C.

O erro pode revelar verdades ocultas; é o caso já comentado de "Itaglia" com *g*.

Com uma única palavra é possível obter muitos erros, ou seja, muitas histórias. Por exemplo, com "automóvel" chegamos a "automóvil" (um carro muito ruim, provavelmente), "otomóvel" (um carro com oito rodas, imagino) ou então "altomóvel" (um carro tão alto que não entra em nenhuma garagem).

Errando se aprende, diz o velho ditado. O novo ditado poderia dizer que errando se inventa.

10. Velhas brincadeiras

Também se procura o tema fantástico por meio das brincadeiras praticadas pelos dadaístas e surrealistas — aliás, mais antigas que esses movimentos artísticos. Podemos chamá-las de "exercícios surrealistas", mais por comodidade que para prestar homenagem (a esta altura, um pouco atrasada) a André Breton.

Uma dessas brincadeiras consiste em recortar os títulos de notícias dos jornais e misturá-los para encontrar notícias de acontecimentos absurdos, sensacionais ou simplesmente engraçados:

A cúpula de São Pedro
ferida a punhaladas fugiu
com o dinheiro para a Suíça

Grave acidente na rodovia
entre um tango e outro
em homenagem a Italo Calvino

Poemas inteiros — talvez sem sentido mas não sem deslumbramento — podem ser compostos com um jornal e uma tesoura. Não afirmo que esse seja o modo mais proveitoso de ler um jornal, nem que o jornal deva ser levado às escolas só para ser picotado. Papel é coisa séria, assim como a liberdade de imprensa. E a brincadeira não fere o respeito pelo papel impresso, mesmo servindo para desencorajar o culto a ele. E, afinal de contas, inventar histórias também é coisa séria.

Os acontecimentos extravagantes produzidos pela atividade descrita acima podem nos presentear com efeitos cômicos sem consequências

Gramática da fantasia

ou como ponto de partida de uma narrativa de verdade. Ambas as maneiras de explorar o exercício me parecem boas.

De uma perspectiva técnica, a brincadeira leva o "distanciamento" das palavras às últimas consequências e dá lugar a séries novas e autênticas de "binômios fantásticos". Ou devemos, nesse caso, considerá-los "polinômios fantásticos"?

Outra brincadeira, conhecida no mundo todo, é aquela dos bilhetinhos com perguntas e respostas. Parte-se de uma série de perguntas que configurem uma sequência de acontecimentos, ou seja, uma narrativa. Por exemplo:

Quem era?
Onde estava?
O que fazia?
O que disse?
O que os outros disseram?
O que aconteceu no final?

O primeiro do grupo responde por escrito à primeira pergunta e dobra o papel para que ninguém consiga ler a resposta. O segundo responde à segunda pergunta e torna a dobrar o papel, e assim sucessivamente, até as perguntas acabarem. As respostas devem ser lidas como uma história. Podem resultar num disparate total ou proporcionar o embrião de uma história cômica. Por exemplo:

Um morto
que costurava meias
na torre de Pisa
disse: "Quantos são três vezes três?"
todos cantaram o hino nacional
terminou três a zero.

As respostas são lidas, dá-se muita risada e tudo acaba aí. Ou então se analisa a situação para tirar dela uma história.

No fundo é a mesma coisa que escolher como tema palavras ao acaso. A diferença essencial é que, desse jeito, escolhe-se uma "sintaxe casual". Em vez de um "binômio fantástico", uma "trama fantástica". Está claro que, com alguma prática, variando e complicando as perguntas, é provável que o resultado seja deveras estimulante.

Uma famosa brincadeira surreal é a do desenho feito por muitas mãos. O primeiro do grupo desenha uma figura, sugere uma imagem, traça um símbolo que tem ou não tem significado. O segundo desconsidera, em qualquer caso, aquele significado e usa o símbolo do primeiro como elemento de outra figura, de significado diferente. E assim procede o terceiro, com a intenção não de completar o desenho dos dois primeiros, mas mudá-lo de sentido, subvertê-lo. O resultado costuma ser um desenho incompreensível, no qual nenhuma forma se fixa mas todas se interpenetram, numa espécie de moto-perpétuo combinatório.

Vi crianças divertindo-se muito com essa brincadeira e criando regras para ela. A primeira desenha, suponhamos, a forma oval de um olho; a segunda, interpretando a forma oval de outra maneira, coloca-lhe patas de galinha; a terceira planta uma flor no lugar da cabeça, e assim por diante. O resultado é menos importante do que o desenrolar da brincadeira, ou seja, o esforço para dominar formas estranhas impondo-lhes outras formas, as surpresas e as descobertas a cada passo, num processo que Umberto Eco[36] talvez denominasse "vaivém do significado".

No final, porém, os desenhos podem conter uma história. Sem querer, quem sabe apareça uma personagem insólita, um monstro, uma paisagem fantástica. Nesse ponto, então, as palavras dão prosseguimento à brincadeira. O percurso é, de novo, do absurdo ao sentido. O estímulo à imaginação nasce da intuição de um vínculo novo entre dois elementos aproximados pelo acaso que sejam — roubando o jargão dos linguistas — "formas de expressão" ou "formas do conteúdo", com várias associações, mas se mantém o ritmo binário nessas permutas. O império da dialética estende-se até sobre os territórios da imaginação.

11. A contribuição de Giosuè Carducci[37]

Também devemos aos surrealistas a técnica do "tratamento" de determinado verso pela exploração de todas as suas possibilidades ao longo da cadeia sonora, seja de analogias, seja de significados, na busca um tema fantástico.

Comecemos com um conhecido verso de Carducci[38]:

Consumi sete pares de sapatos

Tentemos reescrevê-lo, por assim dizer, de olhos fechados, errando para valer, subvertendo as sílabas sem respeito, como se fossem um amontoado de sons em busca de uma nova forma, e obteremos, por exemplo:

Sumi com sete pares de sapatos

ou

Comi sete pares de patos

Depois de uns dez minutos, abordando cada verso a fim de encontrar novos objetos poéticos, podemos chegar a um resultado deste tipo:

Sumi com sete pares de sapatos
Comi sete pares de sapos
Sete patos uma truta
Uma torta de fruta

Uma frota de fome
Uma fonte sete fontes

A utilidade desse exercício é treinar a imaginação para desviá-la dos significados comuns, perceber os lampejos — mesmo os mais leves — que explodem de cada palavra, ainda que a mais banal, em todas as direções. Os efeitos de paródia contribuem para caracterizar a brincadeira. O resultado encontrará por acaso um ritmo próprio e terá um sentido.

E aqui e ali, proporcionado pelo acaso, talvez surja uma personagem ou uma situação interessante. O verso "comi sete pares de sapos" pode se referir a alguém que entende ao pé da letra a expressão "engolir um sapo".

Peguemos outro verso de Carducci:

Verdun, cidade de confeiteiros...[39]
cidade de confeitarias e confeitos
de confecções e despeitos
de prefeituras e prefeitos...

Interrompo aqui. "Confeito" e "prefeito" deram-me um "binômio fantástico" rimado, útil para construir alguns versos.

O senhor Confeito
está na confeitaria
com o Vice-Confeito
a senhora Confeitessa
o chefe do respeito...

(E assim por diante. Acredito que os versos finais possam revelar uma parábola contra a instituição da prefeitura, com a intervenção de outra personagem que observa bem o Senhor Confeito e decide: "Vou comê-lo".)

Um terceiro exemplo, ainda com um famoso verso do professor Carducci:

Verdejou tudo agora[40]

que nos dá, por exemplo...

Verde jeito d'aurora

Aqui a história não é simplesmente sugerida, mas praticamente imposta: aquele "verde jeito d'aurora" pode se referir ao momento em que o dia volta a nascer e ainda não amadureceu, ou a um planeta com outro espectro de cores, ou ainda a um senhor daltônico, que via florestas vermelhas e auroras verdes.

Por esses exemplos, me parece confirmada a permanente utilidade de Giosuè Carducci. Mas devo frisar que essa técnica do *nonsense* liga-se diretamente a uma brincadeira que todas as crianças fazem: usar as palavras como brinquedo. Há uma motivação psicológica que vai além da gramática da fantasia.

12. Construção de um *limerick*

O *limerick* é um gênero organizado e codificado — e inglês — de *nonsense*. São famosos os de Edward Lear[41]. Veja como se estrutura o *limerick*:

> Era o velho do quintal
> de índole fútil e banal
> sentado numa porta amarela
> cantava para uma cadela
> o didático velho do quintal.

Com pouquíssimas variações, todas pertinentes, os *limericks* seguem sempre a mesma estrutura, que foi avaliada com muita precisão por semiólogos soviéticos na coletânea *I sistemi di segni e lo strutturalismo sovietico* [*O sistema dos signos e o estruturalismo soviético*], organizada por Remo Faccani e Umberto Eco e publicada em 1969.

O primeiro verso contém a indicação do protagonista ("velho do quintal"); no segundo verso, indica-se o seu qualificativo ("de índole fútil e banal"); no terceiro e no quarto verso apresenta-se o predicado ("Sentado numa porta amarela / Cantava para uma cadela"); o quinto é reservado ao aparecimento de um epíteto final, oportunamente extravagante ("O didático velho do quintal").

Algumas variações são, na verdade, formas alternativas da estrutura. Por exemplo, no segundo verso, o qualificativo da personagem pode ser indicado não apenas por uma simples característica, mas por um objeto que ela possua ou uma ação que ela execute. O terceiro e o quarto verso, além de formarem o predicado, podem estar reservados

Gramática da fantasia

à reação do espectador. No quinto, o protagonista pode sujeitar-se a represálias mais sérias do que a um simples epíteto.

Vejamos outro exemplo:

1) *O protagonista*
Um velho de Maré
2) *O predicado*
caminhava na ponta do pé
3 e 4) *A reação dos espectadores*
disseram-lhe: belo divertimento
reencontrá-lo neste momento
5) *Epíteto final*
seu velho gagá de Maré.

Seguindo essa estrutura, isto é, usando-a como guia para a composição e respeitando a combinação das rimas (o primeiro, o segundo e o quinto versos rimam; o quarto rima com o terceiro), podemos compor um *limerick* à moda de Lear.

Primeira operação: escolha do protagonista
1) Um pequeníssimo senhor de Damasco
Segunda operação: indicação de uma qualidade expressa por uma ação:
2) certa vez subiu num penhasco
Terceira operação, realização do predicado:
3 e 4) e quando lá em cima chegou
a altura não mudou
Quarta operação: escolha do epíteto final:
5) daquele minissenhor de Damasco.

Outro exemplo:

Uma vez um médico de Marsala
ia tirar a língua do coala
O bicho se enraiveceu

Gianni Rodari

e o grande nariz mordeu
do linguarudo médico de Marsala.

Nesse caso, colocamos o terceiro e o quarto verso no contexto da "reação dos espectadores". Além disso, seguimos a estrutura métrica com muita liberdade, mesmo mantendo a correspondência das rimas (a última, percebe-se, em geral é uma simples repetição da primeira). Acredito que, por se tratar da construção de um *nonsense*, o pedantismo deva ser evitado. Recorre-se à estrutura do *limerick* apenas porque é fácil, comprovado e leva inevitavelmente a um resultado, mas não para cumprir um dever escolar.

Em pouco tempo as crianças passam a dominar a técnica aqui descrita. É bem divertido procurar com elas o epíteto final, ou seja, uma palavra fictícia, um adjetivo inventado, com um pé na gramática e outro na paródia. Muitos *limericks* prescindem dele, mas as crianças sentem a sua falta. Como neste exemplo:

Um senhor de nome Martim
adorava ouvir música no jardim
e ao doce som de trompetes
comia trompas, clarins e omeletes
aquele musicófilo senhor Martim.

O epíteto "musicófilo" não tem nada de especial. De fato, depois de tê-lo escutado, um menino observou que "musicófago" seria mais lógico para um comedor de instrumentos musicais. E tinha razão.

Outro observador, agora um adulto, me fez notar que os *limericks* que eu crio, mesmo contendo histórias absurdas, não são verdadeiros *nonsenses*. Ele também tinha razão. Mas não sei o que fazer com isso. Talvez dependam da diferença entre outras línguas e a italiana. Ou da nossa, ou minha, tendência para racionalizar.

Com as crianças — e para o interesse delas — deve-se ter o cuidado de não limitar as possibilidades do absurdo. Não acho que isso prejudique sua formação científica. Afinal, até na matemática existem demonstrações "pelo absurdo".

13. Construção de uma adivinha

Criar uma adivinha é um exercício de lógica ou de criatividade? Provavelmente, as duas coisas juntas. A regra deste exercício será extraída da análise de uma adivinha popular das mais simples, aquela que diz — ou ao menos dizia, quando ainda se usavam poços artesianos — "desce rindo e sobe chorando" (o balde).

Na base da definição hermética há um processo de "distanciamento" do objeto. O balde aparece separado do seu significado e contexto habitual, descrito simplesmente como um objeto que desce e sobe.

Na descrição, entretanto, insinua-se um trabalho de associação e comparação que atua não mais sobre a totalidade do objeto, mas sobre uma de suas características, a sonora. O balde chacoalha… Faz barulhos diferentes quando sobe e quando desce…

A chave da nova definição está na metáfora sugerida pelo verbo "chorar". Quando sobe, o balde balança, a água respinga… O balde "chora"… — "sobe chorando". E é dessa metáfora que surge, por oposição, a primeira: "desce rindo". Agora a metáfora dupla está pronta para representar o objeto, escondendo-o e promovendo-o de utensílio banal e cotidiano a objeto misterioso, que desafia a imaginação.

A análise nos oferece esta sequência: "distanciamento-associação-metáfora". São três passagens obrigatórias para chegar à fórmula da adivinha. Podemos no final provar o funcionamento da regra com qualquer objeto — por exemplo, uma caneta.

Primeira operação: distanciamento. Devemos definir a caneta como se a víssemos pela primeira vez. É um bastão quase sempre de plástico em forma de cilindro, às vezes facetado, terminando em uma ponta cônica cuja característica, caso ela passe sobre uma superfície clara, é deixar um sinal bem visível. (A definição é esquemática e aproximada. Se quiser definições mais completas, consulte os romancistas da "*école du regard*"[42].)

Segunda operação: associação e comparação. A "superfície clara" da definição presta-se à abertura de outros significados por meio de imagens. A folha de papel branco pode se transformar em outra superfície branca qualquer, de um muro a um campo de neve. Por analogia, aquilo que numa folha branca é um "sinal preto", num "campo branco" pode se transformar em um "caminho preto".

Terceira operação: a metáfora final. Estamos prontos agora para definir metaforicamente a caneta: "algo que traça um caminho preto sobre um campo branco".

Uma *quarta operação* — não essencial — consiste em dar uma forma atraente à definição misteriosa. As adivinhas costumam ser formuladas em verso. No nosso caso é fácil:

> O que é o que é
> que num campo bem branco
> traça um caminho preto?

É preciso sublinhar a importância decisiva da primeira operação, preparatória apenas na aparência. Na verdade, o distanciamento é um momento essencial; possibilita as associações menos banais e permite encontrar metáforas o mais surpreendentes (que, para os adivinhadores, vêm carregadas de uma ambiguidade estimulante).

Por que as adivinhas agradam tanto às crianças? Porque representam, por alto, a forma concentrada, quase simbólica, da experiência infantil de conquista da realidade. Para uma criança, o mundo está cheio de objetos misteriosos, de acontecimentos incompreensíveis, de figuras indecifráveis. Sua própria presença no mundo é, para ela, uma adivinha por resolver, revirando-a com perguntas diretas ou indiretas. O conhecimento vem frequentemente na forma de surpresa. Daí o prazer de experimentar de modo desinteressado, por brincadeira, a emoção da procura e da surpresa.

Se não me engano, o esconde-esconde tem relação com o gosto por adivinhas, mas seu conteúdo principal é diferente: o de reviver, a título de experiência, o medo de ser abandonado, de estar perdido — ou de se perder. Sim, como um Pequeno Polegar brincando de se perder na floresta. Ser encontrado é como voltar ao mundo, reconquistar direitos, renascer. Antes eu não estava aqui; agora estou. Não estou mais; agora estou de novo.

Esses desafios fortalecem a sensação de segurança da criança, sua capacidade de crescer, seu prazer de existir e conhecer.

Muito mais se poderia dizer a esse respeito, mas fugiríamos dos objetivos destes apontamentos.

14. A falsa adivinha

Falsa adivinha é aquela que de algum modo já contém a resposta.

Sua forma popular é a seguinte: "Qual é a cor do cavalo branco de Napoleão?" (Resposta: "branco".) Aqui não se trata propriamente de adivinhar, mas de estar atento ao que se diz.

Existem muitas falsas adivinhas circulando por aí. Eu proponho esta, bem novinha:

> Um homem de nome Alaor
> esteve na África e sentiu calor.
> Pergunta-se: sentiu calor assim
> porque nasceu em Bombaim
> ou porque se chamava Alaor?

A estrutura é a mesma do *limerick*.

A resposta está nos primeiros versinhos: o senhor Alaor sentiu calor porque estava na África, onde é comum a temperatura alta. A falsa adivinha escondeu a resposta, desviando a atenção do ouvinte com perguntas totalmente dispensáveis, representadas pelos dois porquês. Nesse caso, a atenção não é suficiente para encontrar a resposta exata sem um pequeno exercício de lógica.

Mas eis outro exemplo:

> Um lavrador boboca
> semeou a palavra mandioca.
> Responda se puder:
> cresceram palavras ou mandiocas?

Nesse exemplo, a resposta (ou seja, "não nasceu nada", pois para obter mandioca é preciso semear mandioca, e palavras não nascem na terra) não está contida explicitamente nos versos, a não ser pelo indício fornecido pelo verbo "crescer". O trabalho dedutivo é mais complexo do que no outro exemplo, mas a forma é a mesma: a negação de uma falsa alternativa dada por "ou". Sustento que se trata de um exercício educativo, porque na vida muitas vezes é preciso fugir das falsas alternativas para encontrar as respostas verdadeiras.

É claro que, se duas ou três dessas falsas charadas forem dadas às crianças uma após a outra, todas estarão à procura da armadilha, e a resposta certa sairá mais rápido. Mas a diversão não é menor.

15. Fábulas populares como matéria-prima

As fábulas populares serviram de matéria-prima em diversas operações de fantasia: dos jogos literários (Straparola) aos jogos da corte (Perrault), do romantismo ao positivismo e, por fim, em nosso século [XX], no grande empreendimento da filologia fantástica, que permitiu a Italo Calvino dar à língua italiana o que ela não teve no século XIX por lhe faltar um Grimm.[43] Nada se disse sobre as imitações de que foram vítimas os contos de fadas, sobre a distorção pedagógica que sofreram, sobre a exploração comercial (Disney) a que deram origem.

Andersen e Collodi[44] inspiraram-se, com especial felicidade e por caminhos diferentes, no mundo das fábulas.

Andersen, como os irmãos Grimm, tomou como ponto de partida as fábulas de seu país. Contudo, enquanto os Grimm — bravos alemães —, ao transcrever as fábulas ouvidas de narradores populares, interessavam-se em construir um monumento vivo da língua alemã numa Alemanha subjugada por Napoleão (atitude patriótica pela qual receberam reconhecimento até mesmo do ministro prussiano da Educação), Andersen revivia as fábulas de memória: para ele, eram apenas um modo de se reaproximar de sua infância para resgatá-la, não para dar voz ao seu povo. "Eu e as fábulas" foi o "binômio fantástico" que orientou seu trabalho como se fosse uma altíssima constelação. Depois Andersen abandonou os contos tradicionais para criar o novo conto de fadas, povoado de personagens românticas e objetos cotidianos, repleto de vinganças pessoais. A lição dos contos populares, aquecida pela luz do sol romântico, serviu-lhe para alcançar a plena liberação de sua fantasia e a conquista de uma linguagem apropriada para falar com as crianças sem bonecos.

Pinóquio, por sua vez, vive das paisagens, dos tons e das cores dos contos populares toscanos, que aparecem em sua narrativa, porém, como um substrato profundo e, na mistura linguística, apenas como um dos elementos da matéria-prima: um material bastante complexo, o que pudemos perceber mais tarde pela variedade de interpretações que Pinóquio teve e continua tendo.

Os irmãos Grimm, Andersen e Collodi estão, na vertente "fabulística", entre os grandes libertadores da literatura infantil, tirando-a dos limites edificantes que assinalaram sua origem, muito ligada ao nascimento da escola popular. (Na vertente "aventureira", revelaram-se preciosos aliados das crianças os índios e os pioneiros americanos, os exploradores, a vanguarda do colonialismo e toda espécie de escória.)

Podemos ver Andersen como o criador do conto infantil contemporâneo — aquele em que temas e figuras do passado, agora atemporais, saem do limbo para agir no purgatório (ou no inferno) do presente. Collodi foi além ao atribuir um papel de protagonista à criança — a criança como ela é, não como seu professor ou seu pároco gostaria que fosse — e ao atribuir novos papéis a certas personagens do conto clássico: sua Menina (futura Fada) Azul é apenas uma parente distante das fadas tradicionais; nos trajes do Come-Fogo ou do Pescador Verde, o velho Bicho-Papão está irreconhecível; o Homenzinho de Manteiga é uma alegre caricatura do mágico.[45]

Andersen é imbatível ao animar os objetos mais tolos, com efeitos de "distanciamento" e de "amplificação" absolutamente perfeitos. Collodi é imbatível nos diálogos; praticou durante anos escrevendo comédias ruins.

Nem Andersen nem Collodi — e isso prova que eram escritores geniais — conheciam o material fabulístico que hoje conhecemos, depois de catalogado, estudado ao microscópio psicológico, psicanalítico, formalista, antropológico, estruturalista etc. Isso significa que podemos "trabalhar" as fábulas e os contos clássicos em uma série completa de brincadeiras fantásticas. Falarei delas nos próximos capítulos, à medida que me forem ocorrendo, sem nenhuma sistematização.

16. Errando as histórias

— Era uma vez uma menina que se chamava Chapeuzinho Amarelo.

— Não, Vermelho!

— Ah, sim, Vermelho. Então, o seu pai a chamou e…

— Não, não foi o pai dela, foi a mãe.

— Certo. Ela a chama e diz: "Vá à casa da tia Rosa levar…"

— Ela disse que era pra ir à casa da vovó, não da tia!

E assim por diante.

Esse é o esquema de uma velha brincadeira de "errar as histórias", que pode nascer em qualquer casa, em qualquer momento. Também me utilizei dele há muitos anos, nas minhas *Fábulas por telefone*.

É uma brincadeira mais séria do que parece à primeira vista. No entanto, é preciso fazê-la no tempo certo. As crianças são muito conservadoras com relação às histórias. Querem escutá-las com as mesmas palavras usadas na primeira vez, pelo prazer de reconhecê--las, aprendê-las do começo ao fim, na sequência correta, de reexperimentar as emoções do primeiro encontro, na mesma ordem: surpresa, medo, gratificação. Precisam de ordem e reafirmação: o mundo não deve distanciar-se muito bruscamente do caminho que, com tanto esforço, elas começam a trilhar.

Portanto, pode ser que a princípio a brincadeira de errar a história as irrite, porque se sentem em perigo. Elas estão preparadas para o aparecimento do lobo; a aparição do novo inquieta porque não sabem se é amigo ou inimigo.

A certa altura — talvez quando Chapeuzinho Vermelho já não tenha muito para lhes dizer, quando estiverem a ponto de se desfazer

Gramática da fantasia

dela como de um brinquedo velho, consumido —, aceitam que a paródia nasça da história, em parte porque sanciona a separação, mas também porque o novo ponto de vista renova o interesse pela própria história, revive-a em outro caminho. As crianças não brincam mais tanto de Chapeuzinho Vermelho quanto com elas mesmas: desafiam-se a enfrentar a liberdade sem medo, a assumir responsabilidades arriscadas. Devemos, assim, estar preparados para um saudável excesso de agressividade, para saltos incomensuráveis no absurdo.

Em alguns casos a brincadeira terá eficácia terapêutica. Ajudará a criança a se livrar de certas fixações. A brincadeira acalma o lobo, apazigua o monstro, ridiculariza a bruxa, estabelece um limite mais claro entre o mundo das coisas reais — onde certas liberdades não são possíveis — e o das coisas imaginárias. Isso deve acontecer mais cedo ou mais tarde — certamente não antes que o lobo, o monstro e a bruxa tenham cumprido suas funções profundas. Mas que não seja tarde demais.

Outro aspecto sério da brincadeira consiste no fato de que quem participa dela deve realizar por intuição uma análise real e apropriada da fábula. A alternativa, ou seja, a paródia, só pode ocorrer em certos pontos e não em outros, precisamente naqueles que caracterizam e estruturam o conto infantil, não durante as silenciosas mudanças verbais de um a outro momento significativo. As operações de decomposição e recomposição são simultâneas nessa brincadeira. Na verdade, são intervenções práticas, não abstratamente lógicas.

O resultado é uma invenção "pontual", que raramente leva a uma nova síntese, com lógica própria, mas favorece uma perambulação sem rumo pelos temas dos contos infantis. Trata-se mais de rabiscar que de desenhar. Porém, hoje conhecemos muito bem a utilidade dos rabiscos.

17. Chapeuzinho Vermelho no helicóptero

Presenciei esta brincadeira em algumas escolas. São dadas palavras às crianças para que inventem uma história com elas. Por exemplo, cinco palavras em sequência sugerem a história de Chapeuzinho Vermelho: "menina", "bosque", "flores", "lobo", "avó". A sexta palavra rompe a série — por exemplo, "helicóptero".

Os professores ou outros orientadores do experimento medem com essa brincadeira-exercício a capacidade das crianças de reagir a um elemento novo e, diante de uma série de acontecimentos inesperados, absorver a palavra dada na história conhecida, fazer as palavras usuais reagirem ao novo contexto.

Examinando-a de perto, a brincadeira assume a forma de um "binômio fantástico": de um lado está Chapeuzinho Vermelho; do outro, o helicóptero. O segundo termo do binômio é uma palavra só; o primeiro, duas palavras que, entretanto, agem como um todo em relação ao termo "helicóptero". Assim, do ponto de vista da lógica fantástica, tudo está claro.

Os resultados mais interessantes para o psicólogo surgem, penso eu, quando esse "tema" fantástico é dado de surpresa, sem preparação, ainda que não sem um mínimo de explicação.

Da minha parte, depois de ter aprendido esse experimento com um professor de Viterbo cujo nome e endereço infelizmente perdi, usei-o em um encontro com alguns alunos do 2º ano, "bloqueados" por uma rotina didática da pior espécie (cópias, ditados e congêneres) — em suma, nas piores condições. Tentei em vão extrair deles uma história — tarefa difícil quando um estranho aparece de repente e ninguém entende o que ele quer dizer. Além disso, eu tinha poucos minutos disponíveis, porque me

Gramática da fantasia

esperavam em outras salas. Mas senti pena de deixar aquelas crianças sem lhes dar algo que não fosse apenas a lembrança de um sujeito esquisito que para se fazer de palhaço sentou no chão, subiu numa cadeira (gestos necessários, nesse contexto, para quebrar o clima burocrático criado pela presença do professor e do inspetor escolar). Se pelo menos eu tivesse levado uma gaita, uma flauta, um tambor...

Enfim me ocorreu de perguntar se alguém estava com vontade de contar a história de Chapeuzinho Vermelho. As meninas indicariam um menino, os meninos indicariam uma menina.

"E agora" — disse eu às crianças, depois que o garoto me contou não a história de Chapeuzinho Vermelho como a vovó contaria, mas uma cantiga sem graça (recordação de um "recital" escolar, pobrezinho) — "digam-me uma palavra aleatória". Claro, ninguém sabia o que queria dizer "aleatória". Expliquei. Por fim, disseram: "cavalo". Obviamente, imaginei a história de Chapeuzinho Vermelho que encontra um cavalo no bosque, monta nele e chega à casa da vovó antes do lobo...

Então fui à lousa e escrevi, em meio a um silêncio cheio de expectativa e quente como um forno, "menina", "bosque", "flores", "lobo", "avó", "helicóptero"... Voltei-me para a classe. Não precisei nem explicar a nova brincadeira. Os mais espertos já haviam somado dois com dois e levantaram a mão. Uma bela história surgiu em várias vozes: o lobo é surpreendido do alto pelo helicóptero da polícia rodoviária no instante em que batia na porta da vovó. "O que você está fazendo? O que você quer?" — perguntaram os policiais. E desceram bem rápido, espantando o lobo, que fugiu justamente na direção do caçador...

Poderíamos discutir o conteúdo ideológico dessa criação, mas não me parece apropriado. É mais precioso o que resultou dela. Tenho certeza de que aquelas crianças pedirão de vez em quando uma palavra nova para a brincadeira de Chapeuzinho Vermelho; conheceram o prazer de inventar.

A experiência de inventar é linda quando as crianças se divertem com ela, ainda que para alcançar esse objetivo (a criança como objetivo) desrespeitemos as regras do próprio experimento.

18. Fábulas do avesso

Uma variação da brincadeira de errar as histórias consiste em uma inversão do tema da fábula.

Chapeuzinho Vermelho é má e o lobo é bonzinho...
O Pequeno Polegar quer fugir de casa com os irmãos, abandonando os pobres pais. Estes, no entanto, têm a esperteza de fazer um buraco no bolso dele antes de enchê-lo de arroz, que então se espalha pelo caminho de fuga. Como na história verdadeira, mas vista no espelho, onde a direita vira esquerda...
Cinderela é só um pouco boazinha e leva sua paciente madrasta ao desespero, além de roubar o pretendente de suas meias-irmãs...
Branca de Neve encontra num bosque fechado e escuro não os sete anões, mas sete gigantes, e passa a ser mascote deles numa carreira criminosa...

Assim, a técnica do erro cria para si mesma uma orientação, um plano esquemático. O produto resultará parcial ou totalmente inédito, dependendo da "inversão" de um ou de todos os elementos da fábula dada.

Com a "inversão", em vez de uma paródia da fábula obtemos uma situação inicial de um conto que se desenvolve de modo autônomo em outras direções.

Um menino particularmente criativo do 4º ano, em vez de aplicar a técnica da inversão a uma fábula, aplicou-a à própria história universal ou à lenda histórica: Remo assassina Rômulo, a nova cidade não se chama Roma, mas Rema, e seus habitantes são os antigos remanos. Rebatizados, não mais causam medo; fazem rir. Aníbal os vence e torna-se imperador remano. E por aí vai.

O exercício não tem nenhum valor histórico porque, como todos sabem, não se faz ciência histórica com um "se". Além disso, tem mais de Voltaire que de Borges[46]. É possível que seu resultado mais apreciável, mesmo que involuntário, seja zombar da maneira, ou mesmo da pretensão, de ensinar a história de Roma às crianças do ensino fundamental.

19. O que acontece depois

"E depois?" — perguntam as crianças quando o narrador faz uma pausa. Mesmo quando termina, existe sempre a possibilidade de um "depois". As personagens estão prontas para agir, conhecemos seu comportamento, sabemos das relações entre elas. A simples introdução de um elemento novo movimenta o mecanismo inteiro, como bem sabem aqueles que escreveram ou imaginaram "continuações" para *Pinóquio*.

Um grupo de crianças do 5º ano, com um admirável "vamos dar um passo atrás", introduziu um elemento novo bem na barriga do tubarão[47]. No mesmo dia em que Pinóquio se torna um menino de verdade, Gepeto se lembra de repente de ter visto, no momento em que foi aprisionado, um tesouro escondido nas entranhas do monstro. Pinóquio imediatamente organiza uma caça ao tubarão, que ao mesmo tempo é uma caça ao tesouro. Mas ele não está sozinho. O Pescador Verde, que se tornou corsário, está faminto pelo tesouro, do qual tomou conhecimento por intermédio do Gato e da Raposa, que com ele formam uma improvável tripulação. Depois de muitas aventuras, Pinóquio triunfa. Mas há um epílogo: o Tubarão, capturado e devidamente empalhado, será mostrado nas praças por Gepeto, muito velho para a marcenaria, mas não para vender ingressos…

O binômio fantástico que determina o advento da nova história é "Pinóquio-tesouro escondido". A própria história, se bem examinada, recompensa o herói com tesouros pelo revés sofrido antes: quando era marionete, Pinóquio semeava moedas de ouro ingenuamente para ver crescer uma planta delas.

Há uma famosa "continuação" de Cinderela com enfoque de paródia. (Há mesmo? Com frequência ela me vem à cabeça e não me lembro de tê-la inventado.) Cinderela, mesmo depois de ter casado com o Príncipe Encantado, permanece fiel aos seus hábitos de guardiã do forno e do fogão, da copa e da cozinha, sempre de avental, desleixada, despenteada. É claro que em poucas semanas o Príncipe enjoa da sua esposa. Muito mais divertidas e atraentes são as meias-irmãs de Cinderela, que adoram um baile, o cinema, os cruzeiros nas Ilhas Baleares. Mesmo a madrasta, jovial e cheia de interesses (toca piano, frequenta conferências sobre o Terceiro Mundo, vai a saraus literários), não é de jogar fora. Segue-se uma tragédia decorrente de ciúme, com todos os seus detalhes publicados nos jornais...

O ponto crucial da brincadeira consiste novamente em uma "análise" intuitiva do conto infantil. Brinca-se com a sua estrutura, com o sistema que a organiza, privilegiando um de seus temas em detrimento dos demais. Na história de Cinderela, a condição de guardiã do fogão é vista como um castigo; na continuação, o tema se agiganta caricaturalmente, levando também outros temas — por exemplo, a "vida mundana" das meias-irmãs — a assumir novos significados.

Se contamos a um grupo de crianças a história do Pequeno Polegar, talvez aconteça de uma delas perguntar no final da narrativa: "E depois? O que o Pequeno Polegar fez com a bota de sete léguas?" De todos os temas da fábula, esse foi o que mais a impressionou e estimulou a imaginar uma continuação. É um exemplo de "preferência pelo tema".

Se, de todos os temas presentes em Pinóquio, privilegiamos o do nariz que se alonga a cada mentira, podemos chegar sem esforço a uma nova fábula, na qual Pinóquio mente de propósito para vender e traficar pilhas de lenha. Fica rico e é homenageado em vida com um monumento. De madeira, creio eu.

Nos exemplos citados, algo intervém, como uma "força de inércia" da imaginação, que tende a persistir nesse movimento, transformando-se em devaneio automático. A nova fábula, entretanto, não nasce da entrega a esse automatismo, mas de sua racionalização, ou seja, da capacidade de ver surgir do movimento descontrolado uma direção, um impulso criativo. Até nos melhores experimentos dos surrealistas o automatismo é recusado continuamente por causa de uma irresistível tendência da imaginação à sintaxe.

20. Salada de fábulas

Chapeuzinho Vermelho encontra-se com o Pequeno Polegar e seus irmãos no bosque: suas aventuras se misturam, escolhendo uma nova estrada que, de algum modo, será a diagonal das duas forças que agem sobre o mesmo ponto, como no famoso paralelogramo que, com grande surpresa, vi nascer em uma lousa, em 1930, por obra do professor Ferrari, de Laveno.

Era um professor de barba loira e óculos. Mancava. Uma vez ele premiou com um dez nas aulas de italiano o tema do meu rival, que escrevera: "A humanidade precisa mais de homens bons que de grandes homens". Percebe-se que era socialista. Outra vez, para me envergonhar e mostrar aos meus colegas que eu não era um poço de conhecimentos, disse: "Por exemplo, se eu perguntar ao Gianni como é 'formosa' em latim, ele não vai saber". Mas na igreja eu escutara cantarem "*Tota pulchra es, Maria*" [Tu és toda formosa, Maria] e já tinha me virado para descobrir o significado daquela belíssima palavra. Então me levantei e, corado, afirmei: "É *pulchra*".

Todos riram, até o professor, e percebi que nem sempre é necessário dizer tudo que se sabe. Por isso, neste livro, evito ao máximo as palavras difíceis que conheço. Escrevi mais acima a palavra "paralelogramo" — o que parece difícil — só depois de lembrar que a conheci no 5º ano.

Se Pinóquio chegar à casa dos Sete Anões, será o oitavo entre os pupilos de Branca de Neve e introduzirá sua energia vital na velha história, forçando-a a se recompor de acordo com a resultante das duas vertentes, a de Pinóquio e a de Branca de Neve.

O mesmo acontecerá se Cinderela se casar com o Barba Azul, se o Gato de Botas prestar serviços a João e Maria etc.

Por esse enfoque, até as imagens mais desgastadas parecem renascer, rebrotar, oferecendo flores e frutos inesperados. O híbrido tem o seu fascínio.

Vê-se uma primeira ideia dessa "salada de fábulas" nos desenhos infantis em que personagens de diferentes contos convivem na fantasia. Porém, conheço uma senhora que usava essa técnica quando seus filhos eram pequenos e tinham uma fome insaciável de histórias. À medida que cresciam e pediam mais histórias, ela improvisava misturando personagens das velhas histórias. Ela pedia às próprias crianças que sugerissem o tema. Ouvi dela uma novela policial grotesca em que o Príncipe que despertava com um beijo Branca de Neve, adormecida por causa de bruxaria, era o mesmo que se casara com Cinderela no dia anterior. Seguia-se um drama assustador, com horríveis lutas entre anões, meias-irmãs, fadas, bruxas e rainhas...

O tipo de binômio fantástico que conduz essa brincadeira difere do padrão geral só porque é composto de dois nomes próprios e não, como vimos, de substantivos comuns, um sujeito e um predicado e assim por diante. *Nomes próprios de fábula*, é claro, uma classificação que a gramática tradicional não se presta a registrar — como se dizer "Branca de Neve" e "Pinóquio" fosse a mesma coisa que dizer "Maria", "Alberto"...

21. Contos remodelados

Até aqui, a brincadeira teve por objeto as velhas fábulas, contos de fadas e tradicionais, citando-os abertamente, adotando suas personagens sem sujeitá-las a um novo batismo, apesar de interessantes inversões e reviravoltas. Reorganizamos os temas e exploramos a inércia das tramas, mas sem tirá-los do seu ambiente nativo.

Um experimento mais complexo é o da remodelação, com o qual se obtém um conto novo de outro antigo, com vários níveis de reconhecimento ou com transferência total para um terreno desconhecido. Esse procedimento tem precedentes famosos, entre os quais a ilustríssima remodelação da *Odisseia* feita por Joyce.

Contudo, não é difícil reconhecer um mito grego em *Les gommes* [*As borrachas*], de Robbe-Grillet, e, com uma investigação mais apurada, encontram-se as linhas gerais de uma história bíblica no enredo de alguns contos de Moravia[48]. Tais exemplos, claro, não têm relação com as infinitas tramas calcadas umas nas outras com a simples mudança de nomes e transposição da data.

A *Odisseia* serve a Joyce apenas como um sistema complexo de coordenadas fantásticas — uma rede com a qual a realidade da sua Dublin pode se encontrar e, ao mesmo tempo, um sistema de espelhos distorcidos que revelam camadas dessa realidade invisíveis a olho nu. Reduzido a uma brincadeira, o procedimento não perde nada de sua nobreza e capacidade de estimular.

Um conhecido conto de fadas é reduzido à sua pura trama de acontecimentos e relações internas:

Gramática da fantasia

Cinderela vive com a madrasta e as meias-irmãs. Estas vão a um grande baile, deixando-a sozinha em casa. Graças à intervenção de uma fada, Cinderela consegue ir ao baile. O Príncipe se apaixona por ela. Etc.

A segunda operação consiste na redução da trama a uma pura expressão abstrata:

A vive na casa de B e tem com B um relacionamento diferente do que tem C e D, que também moram na casa. Enquanto B, C e D deslocam-se para E, onde se desenvolve um acontecimento F, A fica sozinha (ou sozinho, não importa o sexo). Mas, graças à intervenção de G, A também se desloca para E, onde causa excelente impressão em H. Etc.

Damos agora uma nova interpretação à expressão abstrata, obtendo, por exemplo, o seguinte esquema:

Delfina é a parente pobre da senhora Notabilis, proprietária de uma lavanderia em Módena e mãe de duas estudantes pretenciosas. Enquanto a senhora e suas filhas partem em um cruzeiro para Marte, onde se realiza uma grande festa intergaláctica, Delfina fica na lavanderia passando o vestido de baile da condessa Tantôfaz. Resolve sonhar acordada e põe o vestido. Sai à rua e, sem ninguém perceber, sobe na astronave Fada Segunda, a mesma que levaria ao baile a senhora Tantôfaz e Delfina como passageira clandestina. No baile, o presidente da República de Marte avista Delfina e dança com ela. Etc.

Nesse exemplo, a segunda operação — abstração de uma fórmula de determinada história — parece quase supérflua, tanto que a nova trama segue de perto a primeira, introduzindo-lhe variações simples. Quase supérfluas, mas não de todo, pois de qualquer modo serviram para criar algum distanciamento do conto de fadas, preparando-o para alterações.

Depois de obtermos a fórmula, se tentarmos esquecer ao máximo o conto original poderemos chegar a este tipo de sugestão:

Gianni Rodari

O menino Carlos cuida dos cavalos do conde de Cinderetólis, pai de Guilherme e Ana. Nas férias, o conde e seus filhos decidem dar a volta ao mundo em seu iate. Com a ajuda de um marinheiro, Carlos entra clandestinamente no iate. Segue-se um naufrágio perto de uma ilha selvagem, onde Carlos mostra seu valor ao dar um isqueiro a gás ao feiticeiro dos indígenas. Carlos passa a ser venerado como deus do fogo. Etc.

Dessa forma, estamos bem distantes da Cinderela original, que permanece apenas ao fundo da nova história, como um tecido secreto, vivendo em suas entranhas e inspirando acontecimentos inesperados. Ver para crer, diz o dito popular. Outro exemplo:

João e Maria são dois irmãozinhos que se perdem no bosque. Uma bruxa os recebe em sua casa, com a intenção de assá-los no forno...

Vamos extrair da trama a personificação:

A e B se perdem no lugar C, são levados por D a um lugar E, onde existe um forno F...

Eis a nova trama.

Dois irmãozinhos (provavelmente filhos de imigrantes) são abandonados na Catedral de Milão pelo pai, que, desesperado para alimentá-los, resolve confiá-los ao serviço social público. As crianças vagam amedrontadas pela cidade. De noite, refugiam-se num pátio e adormecem numa pilha de caixotes vazios. São descobertos por um padeiro, que saíra do trabalho por um motivo fútil: recuperar-se do forte calor do forno...

Se me pergunto em que ponto do exercício surgiu a centelha que liberou a energia necessária para produzir uma nova história, respondo com facilidade que foi a palavra "forno". Acho que já disse: sou filho de padeiro. Para mim, a palavra "forno" significa um salão atulhado de sacos de farinha, com uma batedeira de massa à esquerda e, à frente

Gramática da fantasia

dos ladrilhos brancos do forno, sua boca, que se abre e se fecha, e meu pai, que amassa, modela, assa, assa. Para mim e meu irmão, que éramos gulosos, ele fazia todo dia uma dúzia de pãezinhos de sêmola muito especiais, que deviam estar bem tostados.

A última imagem que guardo do meu pai é a de um homem tentando em vão aquecer as costas contra o forno. Estava encharcado e tremia. Saíra sob o temporal para ajudar um gatinho perdido entre as poças d'água. Meu pai morreu sete dias depois, de broncopneumonia. Naquele tempo não existia penicilina.

Sei que mais tarde me levaram para vê-lo, morto, na cama, com as mãos entrelaçadas. Recordo-me das mãos, mas não do rosto do homem que se aquecia contra o forno, mas me lembro dos braços: chamuscava os pelos do braço com uma folha de jornal em chamas, para evitar que caíssem na massa do pão. O jornal era *La gazeta del popolo* [*A Gazeta do Povo*]. Dele eu me lembro bem, porque tinha uma página para crianças. Era 1929.

A palavra "forno" cravou-se na minha memória e dela retorna com uma cor afetuosa e triste. Essa cor presidiu então o nascimento de outras mesclas: entre as crianças abandonadas do antigo conto infantil e as do conto novo, entre as árvores do bosque e as colunas da Catedral de Milão. O resto é dedução (fantasiosa, não lógica).

A história terá um final imprevisível, porque o padeiro assa pães no forno, não as crianças. De modo igualmente imprevisível, ela nos induzirá a mirar de baixo a grande cidade industrial, com os olhos de duas crianças perdidas; a descobrir a realidade de um drama social num jogo da imaginação. O mundo atual terá entrado com toda a violência em nossa remodelação abstrata: A, B, C, D... Mais uma vez nos encontraremos na Terra, no coração da Terra. E, nessa remodelação, surgirão conteúdos políticos e ideológicos de determinado sinal, porque eu sou eu, não uma senhora aristocrática de San Vincenzo. Tudo isso acontece, inevitavelmente. E, quando acontece, produz imagens e sinais que por sua vez deverão ser questionados e interpretados.

A "remodelação" oferecerá a cada pessoa caminhos diversos que conduzirão — se for o caso — a "mensagens" diversas. Mas não

Gianni Rodari

partimos da mensagem; ela se apresentou sozinha, como um ponto de chegada involuntário.

O momento essencial da "remodelação" é a análise do conto dado, operação que é ao mesmo tempo analítica e sintética e vai do concreto ao abstrato, do qual retorna ao concreto.

A possibilidade de uma operação desse gênero nasce da natureza da própria fábula — da sua estrutura, fortemente caracterizada pela presença, pela reaparição e pela repetição de certos elementos de composição, que também podemos chamar de "temas". Mas Vladímir Propp[49] chamou-os de "funções". Agora, nosso exercício se voltará para Propp, a fim de ganhar autoconsciência e fabricar novos recursos para si.

22. As cartas de Propp

Um aspecto característico da genialidade de Leonardo[50], admiravelmente ilustrado em um artigo da revista *Scienze* (edição italiana da *Scientific American*), consistiu em sua capacidade de, pela primeira vez na história, considerar uma máquina qualquer não um organismo único, um protótipo irreproduzível, mas um conjunto de máquinas mais simples.

Leonardo "decompôs" a máquina em elementos, em "funções". Assim conseguiu, por exemplo, estudar isoladamente a "função" do atrito, e esse estudo levou-o a projetar rolamentos de esferas e cones e até mesmo rolos cônicos truncados, que só foram efetivamente fabricados muito recentemente para fazer funcionar os giroscópios, indispensáveis à navegação aérea.

Com estudos desse tipo, Leonardo também conseguia divertir-se. Há pouco tempo foi descoberto um desenho seu de uma invenção burlesca: um "amortecedor para frear a queda de um homem do alto". No desenho vê-se um homem caindo (de onde, não se sabe), amparado por um sistema de cunhas conectadas entre si e, no ponto final da queda, por um fardo de lã, cuja resistência ao impacto é controlada e mensurada por uma última cunha. É provável, portanto, que se deva atribuir a Leonardo a invenção das "máquinas inúteis", construídas por diversão, para realizar uma fantasia, projetadas com um sorriso no rosto e momentaneamente rebeldes e contrárias à norma utilitária do progresso técnico-científico.

Algo semelhante à decomposição leonardiana das máquinas em "funções" foi feito nas fábulas populares pelo etnólogo soviético Vladímir J. Propp, em sua obra *Morfologia do conto maravilhoso* e em seu estudo *Transformações dos contos de magia*.

Propp é merecidamente famoso também pelo livro *As raízes históricas do conto maravilhoso*, no qual expõe de modo instigante e convincente — pelo menos do ponto de vista poético — a teoria segundo a qual o núcleo mais antigo das fábulas mágicas deriva dos rituais de iniciação usados nas sociedades primitivas.

O que os contos narram — ou o que escondem no final de sua metamorfose — já aconteceu: quando atingiam certa idade, os meninos eram separados da família e levados para a mata (como Pequeno Polegar, como João e Maria, como Branca de Neve), onde o feiticeiro da tribo, vestido de forma assustadora, com o rosto coberto por uma máscara horrível (que de imediato nos faz pensar em mágicos e bruxas), submetia-os a provas difíceis e muitas vezes mortais (todos os heróis dos contos topam com elas pelo caminho)... Os meninos escutavam a narração dos mitos da tribo e recebiam armas (os dons mágicos distribuídos por padrinhos/madrinhas sobrenaturais aos heróis em perigo). Por fim, voltavam para casa, frequentemente com outro nome (até o herói dos contos retorna incógnito) e maduros para o casamento (nove de dez fábulas acabam com uma festa de casamento)...

Na estrutura dos contos populares repete-se a estrutura do rito. Com base nessa observação, Vladímir Propp (mas não só ele) deduz a teoria segundo a qual o conto passou a existir nessa forma quando o rito antigo desapareceu, restando apenas a narrativa. Os narradores, ao longo dos milênios, traíram cada vez mais a lembrança do rito e passaram a servir às exigências autônomas do conto, que se transformou de boca em boca, acumulou variantes, acompanhou os povos (indo-europeus) em suas migrações, absorveu os efeitos das mudanças históricas e sociais. Assim, no decorrer de poucos séculos, os falantes transformam uma língua a fim de dar vida a outra, nova: quanto tempo se passou do latim da decadência romana até as línguas românicas?

Em suma, os contos nasceram da transição do mundo sagrado para o mundo secular. Do mesmo modo, objetos que na era precedente haviam sido rituais e culturais aportaram no mundo infantil reduzidos a brinquedos — por exemplo, os bonecos, o pião. E não é que, na origem do teatro, houve o mesmo processo do sagrado para o profano?

Em torno do núcleo mágico primitivo, os contos recolheram outros mitos dessacralizados, narrativas de aventura, lendas, anedotas. Ao lado das personagens mágicas enfileiraram-se as personagens do mundo campestre (por exemplo, o astuto e o tolo). Criou-se um magma denso e complexo, uma trama colorida cujo fio principal — diz Propp — é aquele já descrito.

Uma teoria pode ser tão válida quanto outra, e talvez nenhuma seja capaz de explicar as fábulas por completo. A teoria de Propp tem um fascínio particular porque institui um vínculo profundo — no âmbito do "inconsciente coletivo", dirão alguns — entre o menino pré-histórico que viveu os ritos de iniciação e o menino histórico que vive sua primeira iniciação no mundo humano. À luz dessa teoria, a identificação entre a criança que ouve histórias e o Pequeno Polegar da fábula que sua mãe lhe conta não tem uma justificativa apenas psicológica, mas outra bem mais profunda, enraizada na obscuridade do sangue.

Ao analisar a estrutura do conto popular, prestando particular atenção à fábula popular russa (que, de resto, pertence ao mesmo patrimônio indo-europeu das fábulas alemãs ou italianas), Propp formulou três princípios: 1) "os elementos constantes e estáveis da fábula são as funções das personagens, independentemente de quem e como as executa"; 2) "o número de funções presentes nas fábulas mágicas é limitado"; 3) "a sequência das funções é sempre idêntica".

No sistema de Propp há 31 funções, suficientes, com suas variações e articulações internas, para descrever a forma dos contos populares:

1. distanciamento;
2. proibição;
3. infração;
4. investigação;
5. delação;
6. armadilha;
7. conivência;
8. dano (ou falta);
9. mediação;

10. aprovação do herói;
11. partida do herói;
12. submissão do herói às provas do padrinho/da madrinha;
13. reação do herói;
14. provimento do meio mágico;
15. viagem do herói;
16. luta entre o herói e seu antagonista;
17. herói assinalado/marcado;
18. vitória sobre o antagonista;
19. remoção do dano ou da falta inicial;
20. retorno do herói;
21. sua perseguição;
22. o herói se salva;
23. o herói chega incógnito ao lar;
24. pretensões do falso herói;
25. tarefa difícil imposta ao herói;
26. execução da tarefa;
27. reconhecimento do herói;
28. desmascaramento do falso herói ou do antagonista;
29. transfiguração do herói;
30. punição do antagonista;
31. casamento do herói.

Claro que nem *todas* as funções estão presentes em *todos* os contos populares: na sequência obrigatória ocorrem saltos, incorporações e sínteses, que, no entanto, não contradizem o desenvolvimento geral. Uma fábula parte da primeira, da sétima ou da décima segunda função, mas, se for muito antiga, dificilmente voltará atrás para retomar as passagens esquecidas.

A função do "distanciamento", que Propp indica em primeiro lugar, pode ser cumprida por uma personagem que se distancia de casa por um motivo qualquer: um príncipe que vai à guerra, um pai que morre, um pai que sai para o trabalho (recomendando aos filhos que não abram a porta a ninguém ou não mexam em determinada

Gramática da fantasia

coisa), um comerciante que viaja a negócios etc. Cada "função" pode abranger uma contrária: a "proibição" talvez seja representada por uma "ordem" positiva.

Todavia, não avançaremos mais nas nossas observações sobre as "funções" de Propp senão para sugerir, a quem se interessar, que se exercite comparando a sequência de "funções" com a trama de qualquer um dos filmes do agente 007: é capaz que se surpreenda ao encontrar um grande número delas, quase na mesma ordem, de tão viva e persistente é a estrutura dos contos populares em nossa cultura. Muitos outros livros de aventura não seguem caminho diferente.

A nós, as "funções" interessam porque podemos usá-las para construir histórias infinitamente, assim como para compor infinitamente melodias com 12 notas (deixando de lado os quartos de tom e mantendo sempre a referência do limitado sistema musical do Ocidente anterior à música eletrônica).

Em Reggio Emilia, para experimentar a produtividade das "funções", resolvemos reduzi-las a 20 por conta própria, pulando algumas e substituindo outras pela indicação de vários "temas" das fábulas. Dois pintores amigos desenharam 20 "cartas" de baralho, cada qual com uma palavra (o "título" genérico da função) e uma ilustração simbólica ou caricatural mas pertinente: "proibição", "infração", "dano ou falta", "partida do herói, "missão", "encontro com o padrinho/a madrinha", "dons mágicos", "aparecimento do antagonista", "poderes diabólicos do antagonista", "duelo", "vitória", "retorno", "chegada ao lar", "o falso herói", "provas difíceis", "danos reparados", "reconhecimento do herói", "o falso herói desmascarado", "punição do antagonista", "casamento".

Um grupo de crianças trabalhou depois na produção de uma história, estruturando-a conforme a série de vinte "cartas de Propp" — com muita diversão, devo dizer, e com resultados de paródia notáveis.

Assim, pude notar que as crianças conseguem produzir facilmente uma fábula seguindo o caminho das "cartas", porque cada palavra da série ("função" ou "tema de fábula") aparece carregada de significados fantasiosos e se presta a um jogo interminável de variações. Recordo-me de uma interpretação bem original da "proibição": ao sair de casa, um pai proíbe os filhos de jogar vasos de flores da varanda na cabeça dos transeuntes... E entre as "provas difíceis" estava a obrigação de ir ao cemitério à meia-noite: o máximo de terror e coragem até certa idade.

As crianças, porém, adoram misturar as cartas e improvisar as regras: tirar três cartas ao acaso e formar uma história completa; começar da última carta da série; dividir o maço de cartas entre dois grupos e compor duas histórias concorrentes. Frequentemente basta uma carta para sugerir uma história. A carta dos "dons mágicos" foi suficiente para um aluno do 4º ano inventar a história de uma caneta que fazia as lições de casa sozinha.

Qualquer pessoa pode fazer um maço de 20 ou 31 "cartas de Propp", ou 50; fica a critério de cada uma. Basta escrever em cada carta o título da "função" ou do "tema"; a ilustração é dispensável.

A brincadeira talvez lembre erroneamente a estrutura do quebra-cabeça, em que se recebem 20 ou mil peças desordenadas de uma única imagem, com o objetivo de remontá-la por inteiro. As "cartas de Propp", como vimos, levam à elaboração de um número infinito de projetos, pois cada carta não tem um único significado e está aberta a muitos outros.

Por que usar precisamente as "cartas de Propp" e não outras cartas de fantasia, ou um grupo de imagens colhidas ao acaso, ou uma série de palavras do dicionário? Parece-me evidente: cada "carta de Propp" não representa apenas ela mesma, mas um recorte do mundo das fábulas, um fervilhar de ecos fantásticos para crianças acostumadas com as fábulas, sua linguagem e seus temas. Além disso, cada "função" é rica em "apelos" ao mundo pessoal da criança.

Ela lê "proibição" e a palavra entra imediatamente em contato com a sua experiência das "proibições" familiares ("não mexer", "não brincar com água", "deixar o martelo no lugar"). Revive obscuramente os primeiros contatos da sua relação com as coisas, quando só o "sim" e o "não" dos pais a ajudavam a distinguir o lícito do ilícito. "Proibição" é, para ela, o choque com a autoridade ou com o autoritarismo da escola. Contudo, também é, de modo positivo ("proibição"

Gramática da fantasia

e "ordem" se equivalem funcionalmente), a descoberta da regra do jogo: "Faz-se assim, não assado"; é o encontro com os limites que a realidade ou a sociedade impõe à sua liberdade; é um dos instrumentos da socialização.

A estrutura dos contos populares não apenas reproduz— se acompanhamos Propp — a estrutura dos ritos de iniciação, mas também reflete de alguma forma a estrutura da experiência infantil, que é uma série de missões e duelos, de provações e desilusões, segundo certas passagens inevitáveis. Não falta à criança nem ao menos a experiência dos "dons mágicos": os da Befana[51] e os do Menino Jesus. Em certo sentido, os pais foram para ela "padrinhos mágicos", capazes de tudo (a esse respeito, Alain[52] escreveu coisas belíssimas). Ao longo do tempo, a criança enche seu universo de aliados poderosos e inimigos diabólicos.

Parece-me, assim, que as "funções" fabulísticas de alguma maneira ajudam a criança a se conhecer também. E as funções estão aí, prontas para usar: jogá-las fora é um desperdício injustificável.

O capítulo já está bem comprido, mas eu gostaria de deixar ainda dois comentários.

O primeiro diz respeito a uma observação que Vladímir Propp faz ao estudar a transformação de um tema particular nas fábulas russas. Ele pega o tema da "cabana com pés de galinha no bosque"[53] e o situa na concretude dos seus vários desdobramentos: por *redução* (a cabana com pés de galinha; a cabana no bosque; a cabana; o bosque), por *amplificação* (a cabaninha com pés de galinha, paredes de marzipã e telhado de docinhos no bosque); por *substituição* (em lugar da cabana, aparece uma gruta ou um castelo); por *intensificação* (um lugar inteiramente mágico). Pode-se notar que, ao relacionar variações típicas, Propp acaba usando praticamente os mesmos termos com os quais santo Agostinho[54] descreve a atividade da imaginação, que consiste, segundo ele, em "organizar, multiplicar, reduzir, ampliar, ordenar, recompor as imagens de algum modo"...

O segundo comentário é uma lembrança. Na casa de Antonio Faeti — pintor e professor, autor do inusitado livro *Guardare le figure* [*Observe as figuras*] — vi uma série de ótimas pinturas dedicadas às

Gianni Rodari

"funções" de Propp. Cada qual é uma história que se desenrola em diferentes níveis e tem por protagonista uma criança com suas fantasias, seus complexos, seu inconsciente profundo, mas também um homem e suas aventuras e ainda um pintor e sua cultura. São quadros densos, povoados de imagens, alusões, citações, que estendem seus tentáculos tanto para estampas populares quanto para o surrealismo. São as "cartas de Propp" de um artista que ama o mundo extraordinariamente rico dos contos populares e estupidamente marginalizado. Cada quadro diz várias coisas que só poderiam ser ditas com muitas palavras, e outras que não podem ser ditas com elas.

23. Franco Passatore põe "as cartas nas fábulas"

No capítulo anterior, quando falei de preservar as fábulas populares nas brincadeiras inventivas, não foi para torná-las obrigatórias. Junto às "cartas de Propp" podem coexistir outras, diferentes mas não menos produtivas.

Para exemplificar, citarei a belíssima brincadeira inventada por Franco Passatore e seus amigos do Gruppo Teatro-Gioco-Vita [Grupo Teatro-Brincadeira-Vida] chamado "ponhamos as cartas nas fábulas"[55]. A brincadeira é descrita no livro *Io ero l'albero (tu il cavallo)* [*Eu era a árvore (você, o cavalo)*], de Franco Passatore, Silvio De Stefanis, Ave Fontana e Flavia De Lucis (1972), no capítulo *"Quaranta e piú giochi per vivere la scuola"* ["Quarenta e tantas brincadeiras para vivenciar a escola"]:

A brincadeira consiste em inventar e ilustrar uma história coletiva. Pode ser estimulada com um maço de cartas previamente preparado pelo animador, colando em uns 50 cartões figuras e imagens variadas, recortadas de jornais e revistas. A leitura dessas imagens é sempre diferente, porque cada carta é relacionada com a precedente apenas por associação livre de ideias ou pela fantasia. Sentado no meio do círculo de crianças, o animador pede a uma delas que escolha uma carta ao acaso; a mesma criança deverá interpretá-la verbalmente, iniciando a história coletiva. A descrição feita pela criança lhe será útil para ilustrar em um painel branco a primeira parte da história, com uma pintura ou uma colagem, e servirá também ao próximo colega, que deverá continuar a história interpretando a carta seguinte, ligando-a ao episódio precedente e ilustrando os desdobramentos narrativos com uma pintura ou colagem ao lado da anterior. A brincadeira continua até a última criança, encarregada de terminar a história. O resultado é um longo painel ilustrado por todas as crianças, que poderão ler sua história visual coletiva.

No livro, a brincadeira era apresentada apenas como título de uma "espetaculação" que ainda não fora apresentada. A esta altura, espero que centenas de crianças já tenham "colocado as cartas nas fábulas" e oferecido aos animadores bastante material de reflexão.

Acho belíssima essa brincadeira; tão bonita que eu gostaria de tê--la inventado. Mas não invejo Franco Passatore e seus amigos. Eu os vi trabalhar em Roma, durante uma *Festa dell'Unità*[56]. Eles conhecem um grande número de brincadeiras inventivas e dispõem de uma técnica de "animação" adquirida em dezenas e dezenas de experiências. Por exemplo, dão às crianças três objetos diferentes — uma cafeteira, uma garrafa vazia, uma enxada — e as convidam a inventar e representar uma cena. É quase como inventar uma história com três palavras, só que muito melhor, evidentemente, porque os objetos oferecem à imaginação um apoio muito mais sólido do que as palavras: podem ser observados, tocados, manuseados, obtendo-se numerosas sugestões fantásticas. A história talvez surja de um gesto casual, de um ruído... O caráter coletivo da invenção, aliás, só as estimula: experiências, recordações, jeitos pessoais e a função crítica do grupo entram em jogo e se encontram criativamente.

O Gruppo Teatro-Gioco-Vita aposta nos objetos. Muitas vezes, quando quer ver as crianças desenhando, dá a cada uma delas uma caixinha misteriosa contendo um chumaço de algodão com cheiro de gasolina, um caramelo ou algo que cheire a chocolate. A inspiração vem também pelo nariz.

Nas brincadeiras do grupo, as crianças são a um só tempo autoras, atrizes e espectadoras de tudo que acontece. A situação estimula sua criatividade a todo momento, em diversos sentidos.

24. Fábulas com "enfoque obrigatório"

Em homenagem à brincadeira de "pôr as cartas nas fábulas", abandonamos por um momento os contos populares. Voltaremos a eles agora para uma última aplicação técnica. Talvez devesse ter falado dela antes de abordar as "funções" de Propp. Teria sido mais correto. Mas introduzir alguma irregularidade na gramática é quase "regra". Por outro lado, a técnica que abordarei pode muito bem ser aplicada às "cartas de Propp", e estas, por sua vez, ajudarão a torná-la mais clara.

Em cada "função" fabulística são possíveis, como vimos, infinitas variações. A técnica da variação, entretanto, é aplicável a qualquer fábula e pode ser uma modulação, uma transposição de um matiz para outro.

Consideremos o seguinte tema de fantasia: contar a história do flautista de Hamelin ambientando-a na cidade de Roma em 1973.

A introdução desse enfoque (ou, se preferir, desse enfoque duplo, de tempo e de lugar) nos obriga a procurar no velho conto o ponto em que é possível iniciar a modulação. Imaginem, sem cair de todo no absurdo, a Roma de 1973 invadida por ratos. Talvez até fosse inútil. Roma foi de fato invadida — não por ratos, mas por automóveis, que congestionam as ruas, sufocam as praças e os jardins, estacionam nas calçadas, tirando o espaço dos pedestres e proibindo as crianças de brincar. Dispomos, assim, de uma hipótese fantástica que arrasta uma grossa fatia de realidade para o modelo dos contos populares, e é o melhor que poderíamos desejar. Eis um trecho da composição com o novo enfoque:

Roma foi invadida por automóveis (aqui seria um exercício útil descrever a invasão nos termos dos contos, com estacionamentos até na cúpula da Basílica de São Pedro, mas não temos tempo para isso). O prefeito oferece um prêmio e a própria filha em casamento a quem sugerir uma solução. Apresenta-se um jovem flautista, daqueles que andam por Roma com seu instrumento no Natal: libertará a cidade dos carros se em troca o prefeito prometer que as maiores praças da cidade serão reservadas às crianças e suas brincadeiras. Sela-se o pacto. O flautista começa a tocar. De cada esquina, quarteirão, bairro, os carros vão atrás dele... Ele se dirige para o rio Tibre... Acontece uma quase insurreição dos motoristas (afinal, os automóveis são fruto do trabalho humano; acabar com eles cheira a maldade)... O flautista se convence, muda o caminho e dirige-se para o subsolo. Os carros poderão circular e ficar lá embaixo, deixando as ruas e as praças na superfície livres para crianças, bancários, verdureiros...

No Capítulo 21, já imaginamos Cinderela com "enfoque interplanetário" e João e Maria com "enfoque metropolitano". Parece não existir limites para a invenção de novos "enfoques". Na realidade, todos, ou quase todos, estariam reunidos sob as categorias de tempo e espaço.

A velha fábula, transposta para o novo enfoque, adaptada à nova interpretação, produzirá sons surpreendentes. Certamente poderá conter uma "moral", que só aceitaremos se for implícita e autêntica, sem nunca tentar impô-la por capricho.

Em uma escola de ensino médio bastante entristecida por causa do contato burocrático com o livro *Os noivos*, de Manzoni[57] (resumo, análise sintática, perguntas, temas), os alunos, a princípio, receberam com pouco entusiasmo minha proposta de experimentar a transposição do romance para um enfoque moderno. Depois de descobrirem as possibilidades da brincadeira, mediante uma imprevista identificação dos mercenários manzonianos com os nazistas, os alunos empenharam-se com muita seriedade.

Sob o novo enfoque, Lúcia continuava sendo uma operária têxtil na região da Lombardia. Mas a época escolhida — o ano de 1944, durante a ocupação nazista na Itália — obrigava Renzo a se esconder para escapar do perigo de deportação para a Alemanha. A peste foi

Gramática da fantasia

representada pelos bombardeios. O nobre que assediava Lúcia não era senão o comandante local das "Brigadas Negras"[58]. Dom Abbondio era ele mesmo, eternamente hesitante entre insurgentes e fascistas, operários e patrões, italianos e estrangeiros. O Inominado era um grande industrial da região, partidário do regime, que durante a ocupação hospedava refugiados e feridos em sua mansão...

Não acredito que Alessandro Manzoni, caso pudesse estar presente, tivesse motivos para ofender-se com o uso que os jovens fizeram de suas personagens. Talvez até os ajudasse a compreender sutilmente certas analogias. E somente ele seria capaz de sugerir a Dom Abbondio falas mais coerentes com acontecimentos mais recentes.

25. Análise da Befana

Chamaremos de "análise fantástica" de uma personagem dos contos populares a sua decomposição em "fatores primários", a fim de encontrar os elementos para formular novos "binômios fantásticos", isto é, inventar outras histórias em torno daquela personagem.

Peguemos a Befana. Ela não está propriamente nas fábulas, mas isso não importa: fazendo o exercício com ela nessas histórias, e não com uma bruxa comum, comprovaremos que a análise se aplica a qualquer tipo de personagem, do Pequeno Polegar a Ulisses, de Pinóquio ao Zorro.

No quadro das "funções" de Propp, podemos definir a Befana como "madrinha". Segundo a análise, a Befana divide-se em três partes, como a Gália de Júlio César e a *Divina comédia*, de Dante:

- vassoura;
- sacola de presentes;
- sapatos furados.

Outros dividiriam a Befana de outro modo, e têm liberdade total para fazê-lo. Para mim, bastam três partes.

Cada um dos três "fatores primários" propiciará temas criativos, desde que se saiba questionar as possibilidades com lógica.

A vassoura. A Befana costuma usá-la para voar. Porém, se extraímos o objeto do seu contexto habitual, podemos perguntar: o que a Befana faz com a vassoura depois da noite da Epifania? Dessa pergunta surgem diversas hipóteses:

a) Assim que seu passeio pela Terra termina, a Befana voa para outros mundos do Sistema Solar e da Galáxia.

b) A Befana usa a vassoura para limpar sua casa. Onde ela mora? O que faz o ano todo? Recebe cartas? Gosta de café? Lê jornais?

c) Não existe apenas uma Befana; são muitas. Habitam a Terra das Befanas, onde o negócio mais importante, claro, é o das vassouras, que são usadas pela Befana de Reggio Emilia, pela Befana de Nápoles, pela Befana de Sarajevo. O consumo de vassouras é notável. A Befana encarregada do negócio incrementa seu comércio lançando sempre novos modelos: em um ano a minivassoura, no outro a máxi etc. Ela enriquece e abre um negócio de aspiradores de pó. Então as Befanas passam a viajar de eletrodoméstico, provocando grandes confusões cósmicas: o aspirador de pó suga a poeira estelar, captura pássaros, cometas, um avião com todos os passageiros, que serão entregues em casa pela chaminé ou, naquelas que não têm chaminé, pela área de serviço.

A sacola de presentes. A hipótese que me ocorre de imediato é a de que a sacola esteja furada. Para não perder tempo, nem vou me perguntar por quê.

a) Enquanto a Befana voa, os presentes caem da sacola. Uma boneca vai parar perto de uma toca de lobos, que se iludem: "Ah!" — diz a loba. "Igual àquela vez do Rômulo e do Remo. A glória ao alcance da mão!" Criam a boneca com amor, mas ela não cresce. Os lobinhos brincam com ela sem pensar em glória. Mas, se preferimos vê-la crescer, abre-se para ela um destino na floresta: será uma boneca-Tarzan, uma boneca-Mowgli...

b) Prepara-se uma lista de presentes e uma lista de destinatários. Cada destinatário e cada presente combinam-se aleatoriamente (o buraco na sacola é, na realidade, uma abertura para o acaso, não necessariamente para o caos). Um casaco de *vison*, presente do comendador para sua amante, cai na Sardenha aos pés de um pastor que guarda suas ovelhas numa fria noite de inverno. Bem feito...

Gianni Rodari

c) Costuramos o furo na sacola. Voltemos à hipótese de que existem muitas Befanas; portanto, muitas sacolas. Na confusão da partida, elas se atrapalham, e a Befana de Reggio Emilia leva seus brinquedos para Turim; a de Roma, para Cagliari. Quando percebem o erro, as Befanas ficam desesperadas. Fazem um voo de inspeção, para inventariar os prejuízos. Nenhum prejuízo: as crianças do mundo inteiro são iguais e adoram os mesmos brinquedos. (No entanto, não se pode excluir uma conclusão menos poética: as crianças de todo o mundo estão habituadas aos mesmos brinquedos porque são as mesmas grandes indústrias que os fabricam; escolhem a mesma coisa porque alguém já escolheu por elas...)

Os sapatos furados. Objeto fantástico geralmente relegado pelos analistas, os sapatos furados não são menos produtivos que vassouras e presentes.

a) A Befana, decidida a conseguir um par de sapatos novos, vasculha todas as casas que visita para levar presentes e acaba roubando os sapatos de uma professora aposentada que só tinha aquele par.

b) As crianças, ao saber que a Befana tem sapatos furados, ficam com pena e escrevem para os jornais; a TV inicia uma vaquinha. Um bando de vigaristas percorre as casas recolhendo donativos ilegalmente; junta 200 milhões e vai gastá-los na Suíça e em Singapura.

c) Na noite de 6 de janeiro, as solidárias crianças colocam um par de sapatos novos para a Befana ao lado das botas destinadas a receber os presentes. A Befana de Vigévano toma conhecimento do fato antes das outras, faz o périplo pelas casas delas, recolhe 200 mil pares de sapato (são muitas as crianças de bom coração) e, de volta ao seu país, abre uma loja de departamentos e enriquece. Depois, também ela acaba indo para a Suíça e Singapura.

Não pretendo com isso ter feito uma análise completa da Befana. Quis apenas mostrar como a análise fantástica desperta a imaginação

Gramática da fantasia

com dados simples: uma palavra, o "encontro-choque" entre duas palavras, entre um elemento dos contos e um real. Esse tipo de análise propicia oposições elementares com as quais a imaginação articula histórias, estimula hipóteses de fantasia, abre-se para a introdução de "enfoques" (por exemplo, o "enfoque espacial"). Em suma, trata-se de um exercício em que intervêm ao mesmo tempo inúmeras técnicas de invenção, como se poderia demonstrar facilmente agora com uma "análise da análise". Mas seria muito pedante, não é mesmo?

26. O homenzinho de vidro

Dada uma personagem — real (como a Befana ou o Pequeno Polegar) ou imaginária (como um homem de vidro, para citar a primeira que me veio à cabeça) —, suas aventuras podem ser deduzidas logicamente de suas características — "logicamente" em relação a uma lógica fantasiosa ou a uma lógica lógica? Não sei. Talvez as duas.

Que seja de fato um homem de vidro. Ele deverá agir, mexer-se, estabelecer relações, sofrer acidentes, provocar acontecimentos obedecendo apenas à natureza da matéria de que é feito, segundo a nossa imaginação.

A análise dessa matéria nos dará o perfil da personagem.

Vidro é transparente. O homem de vidro é transparente. Não precisa falar para se comunicar: os pensamentos são legíveis em sua cabeça. Ele não pode mentir, porque imediatamente todos perceberiam, a menos que usasse chapéu. Maldito o dia, no país dos homens de vidro, em que se lançou a moda do chapéu, isto é, a moda de esconder pensamentos.

Vidro é frágil. A casa do homem de vidro, portanto, deve ser bem acolchoada. As calçadas precisam ser forradas de colchões. É proibido apertar mãos! Trabalho pesado também. O verdadeiro médico do lugar é o vidraceiro.

O vidro pode ter cor, é lavável etc. Na minha enciclopédia, quatro páginas cheias são dedicadas ao vidro, e em quase todas as linhas encontra-se uma palavra que significa algo na história do homem de vidro — estão ali, preto no branco, ao lado de vários tipos de informação química, física, industrial, histórica, comercial e sabe-se lá o que mais. Mas o lugar do homem de vidro numa fábula está garantido.

Gramática da fantasia

A personagem de madeira deve tomar cuidado com o fogo, que pode lhe queimar os pés. Já na água ela flutua facilmente, e seu soco é forte como uma paulada. Se a enforcam, ela não morre, e os peixes não conseguem comê-la: coisas que aconteceram justamente com Pinóquio, por ser de madeira. Se Pinóquio fosse de ferro, aconteceriam aventuras bem diferentes com ele.

Um homem de gelo, de sorvete ou de manteiga só pode viver numa geladeira; em caso contrário, ele derrete. Suas aventuras ocorrerão entre o congelador e a gaveta de verduras.

Um homem de papel de seda viverá aventuras diferentes das de um homem de mármore, de palha, de chocolate, de plástico, de fumaça, de marzipã.

Nesse setor, a análise merceológica e a análise fantástica coincidem quase perfeitamente. E não me venham dizer que é melhor fazer vidraças com vidro e ovo de Páscoa com chocolate do que escrever fábulas: nesse tipo de história, mais que em outras, a fantasia brinca com a realidade e o imaginário, numa gangorra que considero muito instrutiva — aliás, até indispensável para dominar a realidade por inteiro, remodelando-a.

27. Piano Bill

As personagens das histórias em quadrinhos não são muito diferentes do nosso homem de vidro ou de palha: cada uma segue a lógica da característica que a distingue das outras, suficiente para fazê-la encontrar sempre novas aventuras ou sempre a mesma aventura, repetida com variações e modificações infinitas. A característica, nesse caso, não é física, mas de outra natureza, geralmente moral.

Dadas as características do Tio Patinhas — riquíssimo, avaro, fanfarrão — e as características de seus amigos e inimigos, qualquer um pode imaginar sem esforço cem mil histórias com esse fulano. A invenção real e apropriada dessas personagens "periódicas" acontece uma só vez: na melhor das hipóteses, o resto são variações; na pior, fórmulas, exploração até o amargo fim, produção em série.

Depois de terem lido uma dezena ou uma centena de histórias do Tio Patinhas (aliás, exercício bem divertido), os garotos estão perfeitamente habilitados a inventar outras histórias. Tendo cumprido seu dever de consumidores, deveriam conseguir agir como criadores. Pena que poucos tenham pensado nisso.

Inventar e desenhar uma história em quadrinhos é um exercício muito mais útil, para todos os fins, do que desenvolver um tema para o Dia das Mães ou o Dia da Árvore. Implica conceber uma história, seu "tratamento", sua estrutura e organização em quadros, a invenção dos diálogos, a caracterização física e moral das personagens etc. — coisas que as crianças, inteligentes como são, muitas vezes se divertem fazendo sozinhas. Entretanto, na escola ganham quatro na prova de linguagem.

Às vezes, a característica principal da personagem materializa-se num objeto: por exemplo, com Popeye, a lata de espinafre.

Suponhamos dois gêmeos, chamados Marco e Mirco, que andam sempre armados de um martelo e se diferenciam apenas porque Marco carrega um martelo de cabo branco e Mirco, um de cabo preto. Suas aventuras estão prontas, ora combatendo ladrões, ora recebendo a visita de fantasmas, vampiros ou lobos. Deduz-se, pelos martelos, que os gêmeos sempre levarão a melhor. Nasceram sem medo e sem inibição, agressivos, contestadores, em uma luta sem trégua (mas seguramente com muitas confusões) contra toda sorte de monstros.

Atenção: escrevi "martelo", não "cassetete". Eles não têm absolutamente nenhuma relação com os neofascistas...

O forte conteúdo ideológico da proposta — concedam-me também esta divagação — não deve causar confusão. Não foi planejado; apareceu sozinho. Certa vez pensei em escrever algo sobre os gêmeos do meu amigo Artur, que se chamam Marco e Américo. Escrevi os nomes em um papel e, quase sem perceber, reescrevi-os como personagens principais deste exercício: assim obtive os nomes Marco e Mirco, mais simétricos — eu diria mais gêmeos que os originais. A palavra "martelo" era evidentemente filha da sílaba "mar" de Marco, em parte contraída, mas em parte também reforçada pelo "mir" de Mirco. Obtive assim a imagem de dois gêmeos armados com martelos. O resto foi dedução.

Existem também personagens "determinadas" simplesmente pelo nome: "pirata", "bandido", "pioneiro", "índio", "caubói"...

Se queremos inventar um novo caubói, devemos escolher com muito cuidado a sua característica, ou o seu tique, ou o seu objeto emblemático. Um caubói "corajoso"? É banal. "Mentiroso"? Muito usado. Que toque banjo ou violão, é tradicional. Um caubói que toque piano já é mais promissor... Mas talvez seja melhor que esteja sempre com o piano, transportado por um cavalo...

Seria Piano Jack ou Billy Piano? Viaja sempre com dois cavalos: ele no primeiro, o piano no segundo. Percorre solitário as montanhas do interior. Quando acampa, põe o piano no chão e toca a canção de ninar de Brahms ou as variações de Beethoven de uma valsa de Diabelli[59].

Gianni Rodari

Lobos e javalis vêm de longe para ouvi-lo. As vacas, amantes da música, dão mais leite. Nos encontros inevitáveis com bandidos e xerifes, Piano Jack não usa pistola: põe os inimigos para correr golpeando-os com as fugas de Bach, dissonâncias atonais, trechos escolhidos do *Microcosmos* de Béla Bartók[60]. E assim por diante.

28. Comer e "brincar de comer"

"O desenvolvimento dos processos mentais", escreve L. S. Vigótsky[61] em *Pensamento e linguagem*, "inicia-se com um diálogo de palavras e gestos entre a criança e os pais. O pensamento autônomo começa quando a criança é, pela primeira vez, capaz de interiorizar essas conversas e assimilá-las dentro de si".

Depois de ter descartado muitas outras citações, escolhi essa para inaugurar uma breve série de observações sobre a "imaginação caseira", que parte do discurso maternal, pois me parece que Vigótsky disse, com simplicidade e clareza, o que outros dizem e escrevem com um esforço enorme e não são compreendidos.

O diálogo de que fala o psicólogo soviético é, em primeiro lugar, um monólogo, paterno ou materno, feito de sons carinhosos, de encorajamento e sorrisos, de pequenos acontecimentos que a cada vez suscitam o reconhecimento, a surpresa, a resposta global aos tropeços iniciais, a música pré-linguística dos balbucios. Sobretudo as mães não se cansam de conversar com o bebê desde as primeiras semanas de vida, como que para mantê-lo envolto em um ventre de palavras ternas e calorosas. As crianças comportam-se espontaneamente, como se tivessem lido o que disse Maria Montessori[62] sobre a "mente absorvente" da criança, que de fato, como que por "absorção", interioriza a linguagem e todo tipo de signo do mundo externo.

— Ele não entende, mas está feliz; então, alguma coisa acontece — retrucou ao pediatra racional a mãe acostumada a embalar seu filho com um discurso absolutamente adulto. — De algum jeito ele me ouve.

— Ele não ouve a senhora —, observou o médico. — Ele está feliz porque a senhora está lá, porque cuida dele.

— Alguma coisa ele entende; então alguma coisa acontece — rebateu a mãe.

Associar uma voz a um rosto também é trabalho, fruto de uma atividade mental elementar. A mãe, ao falar com o filho que ainda não consegue entendê-la, faz uma coisa útil não só porque lhe dá companhia, proteção e aconchego, mas também porque alimenta sua "fome de estímulos".

O discurso materno é frequentemente imaginoso, poético. Transforma em brincadeira a dois o ritual do banho, da troca de roupa, das refeições, acompanhando os gestos com invenções constantes.

— Tenho certeza de que ele ri quando ponho os sapatinhos nas mãos dele, e não nos pés.

Um bebê de seis meses dava muita risada quando a mãe, para fazê-lo engolir, fingia que enfiava a colher na orelha. Ele exigia a repetição da cena, agitando-se animadamente.

Algumas dessas brincadeiras foram institucionalizadas pela tradição. Por exemplo, na hora de comer, é muito comum encorajar a criança a aceitar outra colherada "para a tia", "para a vovó" etc. Costume não muito razoável, como tentei demonstrar com esta cantiga:

Uma pra mamãe
Uma pro papai
Uma pra vovó
que está em Adlai,
uma para a tia
lá na Lombardia
e assim a criança
ficou mal da pança.

Contudo, a criança participa voluntariamente da brincadeira até certa idade, porque lhe atrai a atenção, povoa de personagens sua refeição, que se torna uma espécie de "desjejum de rei". A brincadeira dá um significado simbólico ao ato de comer, retirando-o da monotonia cotidiana.

Gramática da fantasia

Até o ato de se vestir ou se despir torna-se mais interessante quando assume a forma de "brincar de se vestir", "brincar de tirar a roupa". E aqui eu gostaria de perguntar a Franco Passatore se até acontecimentos como esses se encaixam em sua definição de "teatro-brincadeira-vida", mas não tenho o número do telefone dele...

As mães mais pacientes têm a oportunidade de constatar todo dia a eficácia do "brincar de..." Uma delas me contou que seu filho aprendera rapidíssimo a abotoar as roupas sozinho, depois de ela ter-lhe contado a história do Botãozinho que procurava sua casinha, não a encontrava e ficou feliz quando conseguiu passar pela porta. E deve ter dito, na verdade, "a portinha", incorrendo em um abuso de diminutivos bastante desaconselhável. Mas o acontecimento é belo e significativo e diz muito da importância da imaginação na educação.

Porém, seria um erro acreditar que a história do Botãozinho pudesse manter o fascínio se viesse a ser escrita e impressa. Ela faz parte de um precioso "léxico familiar", pegando emprestada a expressão de Natalia Ginzburg[63]. Não faria sentido para uma criança reencontrá-la num livro quando já tivesse aprendido há muito tempo a abotoar as roupas sem prestar atenção e quando espera aventuras mais substanciosas das revistas e dos livros.

Uma análise mais detida do "discurso materno" me parece indispensável para quem se vê obrigado a inventar histórias para os pequeninos, pequenos até em relação ao Pequeno Polegar.

29. Histórias à mesa

A mãe que fingia enfiar a colher na orelha aplicava, sem saber, um dos princípios essenciais da criação artística: ela "afastava" a colher do mundo do banal para lhe atribuir um novo significado. A criança repete isso ao transformar uma cadeira em trem, ao fazer um carrinho navegar na banheira, na falta de outra embarcação, ou ao atribuir a função de avião a um urso de pelúcia. Era assim que Andersen criava com uma agulha ou um dedal uma personagem aventureira.

As histórias para os pequerruchos podem ser inventadas animando objetos que estão na mesa ou no cadeirão na hora de comer. E, se dou alguns exemplos, não é para ensinar às mães o papel de mãe, Deus me livre, mas porque nunca se deve fazer uma afirmação sem demonstrá-la. Eis, portanto, um mínimo de análise.

A colher. O gesto intencionalmente errado da mãe insinua outros gestos. A colher não sabe para onde ir. Passa por um olho, equilibra-se sobre o nariz e nos presenteia com um binômio "colher-nariz", que seria um pecado desperdiçar. "Era uma vez um senhor com nariz de colher. Não conseguia tomar sopa porque o seu nariz de colher não alcançava a boca..."

Invertamos o binômio e troquemos o segundo termo. Teremos nariz-torneira, nariz-cachimbo, nariz-luminária...

"Um senhor tinha um nariz de torneira. Era muito prático: em vez de assoá-lo, abria e fechava a torneira... Um dia, a torneira começou a pingar..." (Nessa história a criança reencontra alguma coisa da sua experiência para rir: as relações com o próprio nariz nem sempre são fáceis.)

Gramática da fantasia

"Um senhor tinha um nariz de cachimbo; era um grande fumante... Havia outro com um nariz de luminária. Acendia e apagava. Iluminava a mesa. A cada espirro a lâmpada queimava e era preciso trocá-la..."

A colher, depois de nos sugerir essas histórias de narizes — não desprovidas, ao que parece, de interessantes antecedentes psicanalíticos (e, portanto, capazes de preocupar mais a criança do que pensávamos) —, pode se tornar uma personagem autônoma. Caminha, corre, cai. Tem aventuras românticas com um garfo. Sua rival é uma faca terrível. Nessa nova situação a fábula se duplica: de um lado, acompanha, ou provoca, os movimentos reais do objeto colher; de outro, cria a "Dona Colher", em que o objeto é reduzido a um simples nome, com uma virtude memorável só sua. "Dona Colher era altíssima, magérrima e tinha uma cabeça tão grande e tão pesada que não conseguia ficar em pé. Achava mais confortável andar de ponta-cabeça. Assim, via o mundo todo ao contrário e só tinha ideias erradas..." A animação torna-se personificação, como nos contos de Andersen.

O pratinho. Se deixarem, a criança inventa espontaneamente um uso simbólico para o pratinho; transforma-o em automóvel, em avião. Por que proibir isso? Que mal há em quebrar um prato de vez em quando? Ao contrário, intensifiquemos a brincadeira, nós que temos mais experiência...

O pratinho voa. Vai ao encontro da vovó, vai ao encontro da titia, vai ao encontro do papai na fábrica... O que eles dirão? O que dizer a eles? Levantamo-nos, acompanhamos o "voo" (com a mão...) do pratinho pela sala e ele se aproxima de uma janela, atravessa a porta, desaparece, reaparece com algo doce ou uma "surpresa" para desembrulhar.

O pratinho é um aviãozinho; a colher, o piloto. Voa em torno da luminária, como se fosse um sol; dá a volta ao mundo: basta mandar...

O pratinho é uma tartaruga... É um caramujo; a xícara é a concha. (Mas deixemos a xícara para o leitor se exercitar.)

O açúcar. Decomposto em seus "fatores primários" (é "branco"; é "doce"; é como "areia"), o açúcar nos oferece três caminhos para a invenção, segundo a "cor", o "sabor" e a "forma". Enquanto escrevia "doce", pensei no que aconteceria se de repente o açúcar desaparecesse da Terra. Todas as coisas doces ficariam amargas sem aviso prévio. Vovó bebia um café; estava tão amargo que ela pensou ter posto sal em vez de açúcar. Um mundo amargo: culpa de um mago malvado. Mago Amargo. (O primeiro que levantar a mão ganha essa personagem.)

O desaparecimento do açúcar me permite inserir aqui — sem usar parênteses, para lhe dar a devida importância — uma alusão a uma operação que chamarei de "subtração fantástica". Consiste em fazer desaparecer, um após o outro, todos os objetos deste mundo. *O sol desaparece*, não nasce mais: o mundo está sempre no escuro... *O dinheiro desaparece*: tumulto na Bolsa de Valores... *O papel desaparece*: as azeitonas que estavam na caixinha rolam pelo chão... Subtraindo objeto após objeto, chegamos a um mundo todo vazio, um mundo de nada...

> Era uma vez um homenzinho feito de nada que andava por uma estrada de nada que não levava a nada. Encontrou um gato de nada, com bigodes de nada, rabo de nada, garras de nada...

Já escrevi essa história. É útil? Acho que sim. A "brincadeira do nada" é feita pelas próprias crianças de olhos fechados. Serve para dar corpo às coisas, para isolar a existência da sua aparência. A mesa torna-se extraordinariamente importante no exato momento em que, enquanto a observo, eu digo: "A mesa sumiu". É como se a visse pela primeira vez, não para saber como é feita — disso já sei —, mas para certificar-me de que "está ali", que "existe".

Estou convencido de que a criança começa a intuir bastante cedo a relação entre ser e não ser. Às vezes conseguimos surpreendê-la baixando suas pálpebras para fazer desaparecer as coisas, abrindo-as para que as coisas reapareçam, repetindo o exercício pacientemente. O filósofo que se questiona sobre o Ser e o Nada, usando as maiúsculas pertinentes a esses respeitáveis e profundos conceitos, não faz nada de substancial além de retomar, em nível mais elevado, aquela brincadeira infantil.

30. Viagem ao redor de casa

O que é uma mesa para uma criança de um ano, independentemente do uso que os adultos façam dela? É um teto. A criança pode se enfiar embaixo da mesa e se sentir chefe da casa — de uma casa sob medida, não tão grande e terrível como a casa de gente grande. Uma cadeira é interessante porque se consegue empurrá-la para lá e para cá e medir a própria força, virá-la e arrastá-la, cruzar com ela em vários sentidos. Pode-se bater nela se a malvada nos dá uma pancada: "Cadeira feia!"

A mesa e a cadeira, que para nós são objetos consumados e quase invisíveis, dos quais nos servimos automaticamente, são para a criança por muito tempo materiais de exploração ambígua e pluridimensional, em que o conhecimento e a fantasia, a experiência e a simbolização se dão as mãos. Enquanto aprende a conhecer a superfície, a criança não para de brincar com elas, de formular hipóteses sobre elas; não deixa de fantasiar sobre as informações positivas que imagina.

Assim, faz parte do seu saber a noção de que, ao abrir a torneira, sai água. Mas isso não a impede de acreditar, se for o caso, que "do outro lado" há um "senhor" que põe água no cano para que ela saia pela torneira.

A criança ignora o "princípio da contradição". É sábia, mas também "animista" ("mesa má!") e "artificialista" ("tem um homem que põe água nos canos"). Essas características convivem dentro das crianças em graus variados por um bom tempo.

Da constatação nasce uma pergunta: fazemos bem de contar às crianças histórias cujos protagonistas são objetos da casa ou nos arriscaríamos a encorajar nelas o animismo e o artificialismo, em detrimento do seu espírito científico?

Referi-me a essa pergunta mais por escrúpulo que por preocupação. Brincar com as coisas serve para conhecê-las melhor. E não vejo serventia em estabelecer limites à liberdade da brincadeira, o que equivaleria a negar sua função educativa e cognitiva. A fantasia não é um "lobo mau" que mete medo nem um crime que se investigue meticulosamente.

Cabe a mim, de vez em quando, perceber se a criança, em dado momento do seu interesse pelas coisas, deseja "informações sobre a torneira" ou quer "brincar com a torneira" para obter a seu modo informações que lhe sejam úteis.

Dessa premissa deduzo alguns princípios úteis para enriquecer o diálogo com a criança a propósito dos objetos de casa.

1. Para começar, devo levar em conta que a primeira aventura da criança, quando aprende a descer do cadeirão ou sair da prisão do "cercadinho", é a descoberta da casa, dos móveis e das máquinas que a povoam, das suas formas e dos seus usos. São eles que lhe oferecem o material das primeiras observações e emoções, que a ajudam a conquistar um vocabulário, que funcionam como indícios do mundo em que ela cresce. Eu lhe contarei, dentro dos limites que ela própria provoca ou tolera, as "histórias verdadeiras" das coisas, sem me esquecer de que essas "histórias verdadeiras" terão para ela, em grande parte, o som de simples sequências verbais, um motivo para aplicar a imaginação nem mais nem menos que nos contos populares. Se lhe explico de onde vem a água, palavras como "nascente", "bacia", "represa", "rio", "lago" etc. permanecem suspensas dentro dela, à procura de um objeto, até que veja ou toque as coisas que indicam. Seria melhor ter à disposição uma série de livros ilustrados — "de onde vem a água", "de onde vem a mesa", "de onde vem o vidro da janela" e outros — que lhe mostrem ao menos as figuras das coisas. Mas esses livros não existem. Uma "literatura" para crianças de até três anos ainda não foi sistematicamente estudada ou produzida, a não ser mediante intuições incoerentes.

Gramática da fantasia

2. Usarei o "animismo" e o "artificialismo" da criança como fontes de invenção, sem medo de induzir ou reforçar explicações "erradas". Ao contrário, acredito que o conto "animista" dirá à criança, de alguma forma, que o "animismo" não é uma solução. A certa altura, a fábula que personifica a mesa, o lustre, a cama lhe parecerá semelhante, pelo mecanismo simbolista, ao jogo em que ela dispõe as coisas de modo fantasioso: um "faz de conta" em que não é obrigada a respeitar as propriedades dos objetos. E ela mesma conceberá a oposição "real-imaginário", "verdadeiro de verdade-verdadeiro de mentira", o que lhe permitirá fundamentar a realidade.

3. Refletirei sobre as características da "viagem ao redor de casa" feita *pela criança*, muito diferente da *minha* viagem, na casa da *minha* infância.

Essa é uma questão que vale a pena desenvolver.

A luz elétrica, o gás, o televisor, a máquina de lavar, a geladeira, o secador de cabelos, a batedeira, o aparelho de som são alguns dos elementos da paisagem de casa que a criança de hoje conhece, bem diferente daquela que o avô conheceu, tendo crescido em uma cozinha rústica, entre o fogão a lenha e o balde d'água. Os elementos de hoje remetem a um mundo cheio de máquinas.

Há tomadas e interruptores em todas as paredes e, mesmo que a criança saiba que não deve pôr o dedo neles, não se pode pretender que ela não faça deduções sobre o ser humano e seus poderes, sobre forças que acendem as luzes, provocam zumbidos e roncos nos motores, transformam calor em frio, cru em cozido etc. Da janela, ela vê passar automóveis, helicópteros, aviões. Também entre seus brinquedos existem máquinas de todo tipo, que reproduzem em escala reduzida as do universo adulto.

O mundo exterior penetra na casa de muitas maneiras que as crianças de décadas atrás não conheciam: toca o telefone e ouve-se a voz do pai; gira-se o botão do rádio e surgem sons, barulhos, músicas; aperta-se um botão no televisor e a tela se enche de imagens, e a cada imagem, devagarinho, armazena-se uma palavra, uma informação para decifrar e se aproximar, com a devida prudência, daquelas que já se tem.

A ideia que a criança de hoje faz do mundo é necessariamente diferente da que o próprio pai fazia quando era criança, mesmo que a diferença seja de poucas décadas. A experiência da criança atual lhe permite realizar operações diferentes — talvez até mais complexas, embora ainda lhe faltem parâmetros para afirmá-lo com segurança.

Além disso, os objetos de casa fornecem informações com o próprio material de que são fabricados, as cores com que são pintados, as formas como foram desenhados (por um projetista, não mais por um artesão). "Lendo" esses objetos, a criança aprende coisas diferentes das que o avô aprendia "lendo" uma lamparina a óleo; insere-se em um modelo cultural diferente.

A papinha do vovô era a mãe dele quem preparava; a papinha do neto quem prepara é a grande indústria, que passa a lhe fazer companhia muito antes de ele conseguir sair de casa com as próprias pernas.

Temos à disposição um extenso material para inventar histórias e podemos usar uma linguagem mais rica. A imaginação é função da experiência, e a experiência da criança de hoje é mais ampla (não sei se mais intensa, mas esse é outro problema) do que a da de ontem.

A exemplificação, a esta altura, seria quase supérflua. Cada objeto, segundo sua natureza, é pretexto para uma fábula. Eu mesmo já pendurei algumas histórias nesses cabides da fantasia. Por exemplo, inventei o Príncipe Sorvete, habitante de uma geladeira; fiz cair no seu televisor uma personagem muito apegada à tela; arranjei um casamento entre um jovem — antes apaixonado por sua motocicleta japonesa vermelha — e uma máquina de lavar roupas; imaginei um disco enfeitiçado, diante do qual as pessoas eram forçadas a dançar, enquanto dois malandros as roubavam etc.

Com os pequeninos, acredito que se deva começar pelos objetos com os quais eles têm relações mais íntimas e especiais. Por exemplo, a cama. Na cama, a criança salta, brinca, faz de tudo para não dormir. E a odeia quando a hora de dormir interrompe as coisas que ela acha importantes. Projetamos essa rejeição no objeto e temos...

Gramática da fantasia

a história da cama que não deixava a criança dormir; girava, saltava até o teto, corria pelo corredor e caía da escada; o travesseiro preferia ficar embaixo dos pés a ficar embaixo da cabeça... Existe uma cama motorizada que viaja a países distantes para caçar jacarés... Existe uma cama falante que conta muitas histórias, entre elas a da cama que não queria deixar a criança dormir, e assim por diante...

A resignação à natureza do objeto, todavia, não nos impede de usá-lo arbitrariamente, seguindo o exemplo da criança, que atribui aos brinquedos papéis bastante improváveis.

Uma cadeira corria para pegar o ônibus. Já era muito tarde, e a cadeira corria apressada, saltando nas quatro pernas. De repente, perdeu uma e cambaleou perigosamente. Por sorte, um jovem que passava pegou a perna e a recolocou. Enquanto a colocava, dava conselhos: "Não corra assim; é melhor perder um minuto na vida que a vida em um minuto". "Moço, me deixe ir, não posso perder o ônibus". E retomou a corrida mais apressadamente do que antes. E assim por diante. Essa cadeira ensinava os papagaios a falar, e por aí vai a história.

Para o uso e o momento a que são destinadas — hora de comer, hora de dormir —, essas histórias não devem necessariamente obedecer às férreas leis da "sonata", mas preferivelmente as do "improviso", bem mais flexíveis. Podem ser ideias, trechos, histórias em zigue-zague, que começam e não terminam, que se cruzam, que esquecem o que estão fazendo, como os macacos no zoológico — em suma, podem ter o caráter das primeiras brincadeiras infantis, que quase nunca são histórias completas, mas sim um passeio livre por muitas histórias, repletas de objetos pegos, largados, pegos de novo, perdidos no caminho.

31. O brinquedo como personagem

Entre o mundo dos brinquedos e o mundo dos adultos existe uma relação menos clara do que parece à primeira vista: de um lado, os brinquedos aparecem "por declínio"; de outro, pela conquista. Certas coisas que tiveram grande importância no mundo adulto por um tempo aceitam ser reduzidas a brinquedos, para não desaparecerem no final daquele tempo. Assim, o arco e as flechas, por não dependerem mais dos campos de batalha, acomodaram-se à condição de instrumentos de brinquedo. As máscaras sobre os olhos têm desistido de desempenhar o seu papel no carnaval dos adultos, tornando-se monopólio infantil. A boneca e o pião foram objetos sagrados e rituais antes de se contentarem com as brincadeiras dos pequenos. Mesmo os objetos mais banais podem descer do seu pedestal cotidiano: um velho despertador quebrado que se torna brinquedo talvez encare o fato como uma promoção. Os baús esquecidos nos sótãos, com seus tesouros sepultados, descobertos e ressuscitados pelas crianças, "declinam" ou "ascendem"?

Pela conquista infantil, no entanto, objetos, animais e máquinas tornam-se brinquedos em virtude de oportunas metamorfoses. Artes, ofícios e profissões tornam-se brincadeira. Certo, é a indústria de brinquedos que fabrica trenzinhos, carrinhos, enxovais de bonecas e caixas do "pequeno químico", em uma incessante miniaturização do mundo adulto, que não deixa de lado os minitanques de guerra e os minimísseis. Porém, a necessidade da criança de imitar o adulto não é uma invenção, não é uma exigência induzida: faz parte da sua vontade de crescer.

O mundo dos brinquedos é, portanto, um mundo misturado, assim como a atitude da criança em relação ao brinquedo. De um lado, ela obedece às suas sugestões, aprendendo a usá-lo na brincadeira a

Gramática da fantasia

que se destina, percorrendo todos as possibilidades que o brinquedo oferece à sua atividade; de outro lado, a criança o utiliza como meio de expressão, quase confiando a ele a representação do seu teatro. O brinquedo é o mundo que ela quer conquistar e com o qual se autoavalia (daí o impulso para desmontá-lo e ver como é feito, ou para destruí-lo), mas é também uma projeção, um prolongamento da sua pessoa.

A menina, ao brincar com suas bonecas e com seu já riquíssimo enxoval, móveis, utensílios, pratinhos, xícaras, eletrodomésticos, casas e cidades em miniatura, reproduz na brincadeira todo o seu conhecimento da vida doméstica, exercita a manipulação dos objetos, compondo-os e recompondo-os, atribuindo-lhes um espaço e um papel. Ao mesmo tempo, entretanto, as bonecas servem para dramatizar seus relacionamentos, eventualmente seus conflitos. Repreende as bonecas com as mesmas palavras ditas pela mãe, descarregando nelas qualquer sentimento de culpa. Ela as acaricia e afaga para externar sua necessidade de afeto. Pode escolher uma para amar e odiar de modo muito especial, personificando nela o irmão mais novo, de quem sente ciúme. Essas brincadeiras simbólicas, como escreveu Piaget[64], constituem uma "autêntica atividade do pensamento".

Enquanto brinca, a criança costuma conversar consigo mesma, comentando a brincadeira, animando os brinquedos ou desligando-se deles para seguir os ecos de uma palavra, de uma lembrança repentina.

À parte certas felicíssimas observações feitas por Francesco De Bartolomeis[65] sobre o "monólogo coletivo" das crianças que brincam juntas em uma escola de educação infantil — juntas por força de expressão, pois cada uma brinca por conta própria e não "dialoga" com as outras, mas todas, pelo menos, "monologam" em voz alta —, não me parece que o "monólogo" da criança ao brincar tenha sido estudado como merece. Acredito que um estudo desse tipo nos ensinaria muitas coisas ainda desconhecidas sobre a relação da criança com o brinquedo, coisas até mesmo essenciais para uma "gramática da fantasia". Estou certo de que, por causa da nossa distração, centenas de invenções têm sido irremediavelmente perdidas.

Uma criança que brinca com bloquinhos de construção pronuncia quantas palavras em uma hora? Que tipo de palavra? Em que medida elas têm relação com o projeto, a estratégia e a técnica da brincadeira e em que medida se afastam deles? Que peças subitamente se tornam personagens, ganham um nome, passam a agir por conta própria, têm aventuras individuais? Quais associações de ideias se revelam no transcorrer da brincadeira? Se observarmos com atenção, quais significados ocultos poderemos atribuir aos gestos, aos processos da simbolização, à própria distribuição das peças? Sabemos apenas — porque estudiosos pacientes o comprovaram experimentalmente — que os meninos tendem a fazer construções verticais e as meninas tendem a fechar um espaço, numa correspondência entre a estrutura da imaginação e a estrutura fisiológica, que é fascinante e incrível para leigos como nós. Todavia, é muito pouco em comparação com o que se gostaria de saber.

Inventar histórias com os brinquedos é quase natural, algo que surge sozinho nas brincadeiras das crianças — a história é apenas uma extensão, um desenvolvimento, uma alegre explosão do brinquedo. Todos os pais que encontram tempo para brincar com os filhos de boneca, de construção, de carrinho sabem disso — uma atividade que deveria de algum modo ser obrigatória (e possível, é claro).

Quando brinca com a criança, o adulto tem a vantagem de dispor de uma experiência mais vasta. Portanto, é capaz de levar mais longe a imaginação. Por isso as crianças gostam que os pais as acompanhem na brincadeira. Por exemplo, se brincam juntos de construir algo, o adulto sabe calcular melhor as proporções e o equilíbrio, tem um repertório mais rico de formas para imitar etc. A brincadeira se enriquece, ganha em organicidade e duração, abre novos horizontes.

Não se trata de brincar "no lugar da criança", relegando-a ao humilhante papel de espectadora; trata-se de se colocar a serviço dela. É ela quem comanda. Brinca-se "com ela" e "para ela" a fim de estimular sua inventividade, para lhe dar novos recursos, que serão usados quando brincar sozinha, para ensiná-la a brincar. E, enquanto se brinca, fala-se. Aprende-se com a criança a conversar com as peças do jogo, a compreender seu nome e sua função, a transformar erro

Gramática da fantasia

em invenção, gesto em história, usando o que Bruner[66], na obra *Sobre o conhecimento: ensaios da mão esquerda*, chama de "liberdade de ser dominado pelo objeto". Mas também aprendemos, como a criança, a confiar mensagens secretas às peças, porque dizem a ela que a amamos, que pode contar conosco, que a nossa vitalidade é dela.

Assim, nasce na brincadeira um "teatrinho" em que entram em cena o urso de pelúcia e o miniguindaste, casinhas e carrinhos, amigos e parentes, e aparecem e desaparecem personagens das fábulas.

Nessa brincadeira, crianças e adultos também deparam com o tédio se o brinquedo for restringido ao seu papel técnico, explorado e esgotado rapidamente. São necessárias mudanças de cenário, voltas e reviravoltas, mergulhos no absurdo que favoreçam as descobertas.

Os adultos de boa vontade não se cansarão de aprender com as crianças os princípios essenciais da "dramatização", e serão eles que, depois, a levarão a um nível mais alto e mais estimulante do que o pequeno inventor, que, com forças ainda limitadas, não consegue fazê-lo.

32. Marionetes e fantoches

A palavra "teatrinho" já aludiu — abstendo-se de especificar — a marionetes e fantoches. Aqui eles virão pessoalmente à ribalta. Fascinantes pessoazinhas. Mas não acrescentarei mais nada a essa vaga definição — nem me passa pela cabeça concorrer com Goethe e Kleist[67] para falar desse fascínio.

Três vezes na minha vida manejei fantoches: quando criança, brincando em um vão de escada que tinha uma janelinha, feita de propósito para imitar a boca de cena; quando professor de uma escola no interior, para os meus alunos de uma aldeiazinha às margens do lago Maggiore (lembro-me de que um deles, depois de se confessar, reproduzia no "diário livre" a confissão inteira, com perguntas e respostas); quando homem feito, durante algumas semanas, para um público de camponeses, que me presenteavam com ovos e salsichas. Titereiro, o ofício mais bonito do mundo.

Se desconsiderarmos os detalhes filológicos, as marionetes e os fantoches chegaram às crianças por um duplo "declínio". Seus ancestrais mais distantes são as máscaras rituais dos povos primitivos. Primeiro declínio, do sagrado ao profano, do rito ao teatro; segundo declínio, do teatro ao mundo dos brinquedos. Essa é uma história que se desenrola diante dos nossos olhos. Quem na Itália pode manter viva a tradição dessa extraordinária forma de teatro popular, além de Otello Sarzi[68] e alguns amigos?

Mariano Dolci[69], que durante muito tempo trabalhou com Sarzi e assessorou as instituições culturais de Reggio Emilia (e de que outra cidade poderiam ser?), escreveu um precioso tratado prático intitulado *I burattini: strumento pedagogico per la scuola* [*Fantoches:*

instrumentos pedagógicos para a escola] e comenta desta maneira a decadência desse tipo de boneco:

> [...] O papel que esses teatrinhos tiveram na cultura popular foi muito importante, e fica-se atônito ao percorrer os títulos dos roteiros representados até o início do século XX, dada a ampla gama de interesses que abrangiam: encontramos textos extraídos de argumentos bíblicos, mitológicos, adaptações de célebres obras teatrais e literárias de todo o mundo, representações históricas, comédias de fundo social, político, polêmico, anticlerical, de atualidades etc.

Tive a oportunidade de assistir a uma adaptação da *Aída*[70] com marionetes. Contudo, o único espetáculo de fantoches "importante" de que me lembro é *Ginevra degli Almieri, ou A sepultada viva, com Gioppino, ladrão de sepulturas*[71]. Lembro-me desse espetáculo porque, na noite em que assisti a ele, comecei a namorar uma garota de Cremona. Não recordo o nome dela, porque isso foi muito antes do primeiro amor, do qual nunca se esquece.

Sarzi e seus amigos fizeram muito pelos fantoches. No entanto, acho que o mais importante foi percorrerem as escolas não apenas apresentando espetáculos, mas ensinando a garotada a fabricar sozinha os fantoches, manejá-los, construir o teatrinho, montar os cenários, as luzes, o acompanhamento musical, inventar histórias, encená-las e recitá-las. Mariano Dolci tem uma bela barba, que lembra a do Come-Fogo[72]. Assim que o veem, as crianças logo percebem que podem esperar coisas extraordinárias dele. Mariano tirava do saco algumas cabeças redondas e brancas e ensinava as crianças a aplicar-lhes os olhos e o nariz, desenhar a boca e inventar características e um corpo para eles, vesti-los e manejá-los com os dedos...

Nas escolas de educação infantil de Reggio Emilia, o teatrinho de fantoches é um móvel fixo. Em qualquer momento uma criança pode esconder-se lá, escolher seu fantoche preferido e pô-lo para trabalhar. Se outra criança aparece, duas histórias diferentes são encenadas ao mesmo tempo. Elas talvez combinem de fazer um rodízio: primeiro o

Gianni Rodari

fantoche A dará pauladas no fantoche B, depois será o B que baterá no A. Existem crianças que falam só por intermédio dos fantoches; outras, ao manejar o fantoche do crocodilo, afastam-se dele rapidamente, para não ser devoradas. Elas mesmas põem os dedos no lugar certo do corpo artificial da fera, mas nunca se sabe...

O pobre professor Bonanno, que lecionava na escola Badini, de Roma, e morreu muito jovem, tinha um fantoche-professor no teatrinho da sua classe do 5º ano. As crianças contavam a esse fantoche o que não ousariam dizer ao professor verdadeiro, que se sentava à frente do teatrinho para ouvir tudo — entende-se — que as crianças realmente pensavam dele. Uma vez ele me disse: "Fico sabendo dos meus defeitos".

Nas escolas é mais frequente encontrarmos fantoches; em casa, marionetes. Deve existir um motivo, mas não sei qual é. O mais lindo teatrinho de marionetes que conheço é inglês, feito de papelão, recortado e montado. Os cenários e as personagens também são recortados. Esse teatrinho é bastante acessível por sua simplicidade: tudo pode ser inventado.

A linguagem própria dos fantoches e das marionetes é o movimento. Eles não são feitos para diálogos longos nem para monólogos longos — a menos que, enquanto Hamlet recita o seu, um diabo se intrometa na tentativa de roubar a caveira da mão dele e trocá-la por um tomate. Entretanto, um fantoche sozinho, sabendo fazê-lo, conversa durante horas com o público infantil sem se cansar nem cansá-lo.

A superioridade do teatrinho de fantoches sobre o de marionetes reside na maior criatividade dos movimentos. A superioridade do segundo está na cenografia e na decoração. As meninas enchem a cena com os móveis de suas bonecas, e isso leva tanto tempo e dá lugar a tantos acontecimentos que não há mais necessidade de realizar o espetáculo.

Os recursos típicos dos dois teatrinhos só se aprendem na prática. Não há nada para dizer sobre isso; no máximo, posso aconselhar a leitura do livro de Mariano Dolci.

Aqui e agora a pergunta é esta: que histórias podemos inventar para as marionetes e os fantoches?

Os contos populares e seu tratamento com as técnicas já mencionadas oferecem um repertório quase inesgotável. Com uma advertência: a introdução de uma personagem cômica é quase obrigatória e sempre se revela produtiva.

Dois fantoches selecionados são um "binômio fantástico" — não preciso nem recomendar os capítulos precedentes para quem precisa de explicações.

Pelo contrário, tendo em conta a possibilidade de confiar certas "mensagens secretas" ao teatrinho, eu gostaria de citar pelo menos dois exercícios fantásticos: o primeiro consiste em explorar o material apresentado pela televisão, que permite criar sem esforço uma alternativa — ou um princípio de crítica alternativa — à escuta puramente passiva de programas; o segundo implica a atribuição de papéis ocultos a certas personagens.

E agora deixe-me explicar ambos os pontos.

Praticamente, não existe um programa de televisão que não sirva de matéria-prima para uma representação no teatrinho. Nem se trata de querer transformar cada representação, a todo custo, numa "antitransmissão": ela o fará por si mesma. Os fantoches e as marionetes cuidarão dela com seus movimentos, sua capacidade de revelar o absurdo, de ridicularizar a personagem do apresentador pomposo, do cantor que uiva, do concorrente de competições, do detetive infalível, do monstro visto num filme de TV. Talvez baste trocar as personagens da TV por outras incongruentes: Pinóquio no telejornal, a bruxa no programa de crianças cantoras, o diabo num festival de música.

Em uma escola de educação infantil, assisti a um programa do tipo "arrisca tudo" com o diabo como concorrente. Na verdade, já contei a história do crocodilo que se apresenta no palco e devora o apresentador Mike Bongiorno. As crianças não tinham um crocodilo entre seus fantoches, mas tinham um diabo. E a história, com enfoque diabólico, ficou muito mais engraçada que a minha.

Com o segundo exercício voltamos à família, aos filhos pequenos. Aquilo que os alunos faziam com o professor, conversando com ele por intermédio do fantoche-professor, nós podemos fazer com os filhos, conversando com eles por meio de marionetes. Deve-se lembrar que os fantoches se prestam a identificações de certa forma permanentes. O rei, faça o que fizer, é fundamentalmente o pai, a autoridade, a força, o adulto necessário mas temido, que ao mesmo tempo oprime o filho mas o protege de qualquer perigo. A rainha é a mãe. O príncipe é ele, o menino — ou a princesa, a menina. A fada é a "coisa bonita", a boa magia, a esperança, a satisfação, o futuro. O diabo encarna todos os medos, os monstros à espreita, todo possível inimigo. Tendo claras essas equivalências, basta encarregar as marionetes, enquanto contam suas aventuras, de transmitir à criança mensagens tranquilizadoras. A comunicação por símbolos não é menos importante que por palavras. Às vezes, é o único modo de se comunicar com a criança.

Não sei, porque não fiz a experiência, em que medida uma criança gostaria que uma marionete a representasse com seu nome no teatrinho. Pode ser que a criança aceite a experiência, assim como aceita as histórias em que figura como protagonista. No entanto, ela talvez recuse uma identificação tão pública com um objeto preciso, visível e palpável. Até as crianças têm segredos (precisamente essa frase é o título de um livrinho alemão para crianças de Hans Stempel e Martin Ripkens, *Auch Kinder haben Geheimnisse*, lançado em Munique em 1973).

33. A criança como protagonista

— Era uma vez um menino que se chamava Carlinhos.

— Como eu?

— Como você.

— Era eu.

— Sim, era você.

— O que eu fazia?

— Vou contar agora.

Esse diálogo típico entre mãe e filho contém a primeira explicação daquele belíssimo pretérito imperfeito que as crianças usam para começar uma brincadeira:

— Eu era o guarda e você escapava.

— Você gritava...

É como uma cortina que se abre no início do espetáculo. Acredito que venha diretamente do imperfeito com que começam os contos de fada: "Era uma vez..." Para mais explicações a respeito disso, recomendo a leitura da "ficha" "Um verbo para brincar" (p. 187), no final do livro.

Todas as mães costumam contar ao filho histórias nas quais ele próprio é o protagonista, o que condiz com o egocentrismo dele e o satisfaz. Mas as mães se aproveitam disso com objetivos didáticos...

— Carlinhos era um menino que esparramava o sal, não queria tomar o leite... não queria dormir...

É um pecado adotar o pretérito imperfeito dos contos e das brincadeiras para dar bronca e intimidar. É quase como usar um relógio de ouro para cavar buracos na areia.

— Carlinhos era um grande viajante, dava a volta ao mundo, via macacos, leões...
— E o elefante, eu via também?
— Também.
— E a girafa?
— Claro.
— E depois?

Assim me parece muito melhor. A atividade rende imensamente se a usarmos para proporcionar situações agradáveis à criança, fazê-la realizar feitos memoráveis, apresentar a ela um futuro de satisfação e compensações por meio da narração em forma de conto popular. Sei muito bem que o futuro dificilmente será belo como nas histórias, mas não é isso que importa.

Antes de mais nada, a criança deve se abastecer de otimismo e confiança para desafiar a vida. Então, não menosprezemos o valor educativo da utopia. Se não esperarmos, apesar de tudo, um futuro melhor, quem nos obrigará a ir ao dentista?

Se o Carlinhos real tem medo de escuro, o Carlinhos da história não tem; faz o que ninguém tem coragem de fazer, vai aonde ninguém tem coragem de ir...

Nesse tipo de história, a mãe reapresenta ao filho sua experiência e sua pessoa como objeto; ajuda-o a esclarecer o seu lugar em meio às coisas, a compreender as relações cujo centro ele ocupa.

Para conhecer-se, é preciso imaginar-se.

Não se trata, portanto, de encorajar devaneios vazios na criança (admito, e não o atribuo aos psicanalistas, que possam existir devaneios absolutamente vazios, sem conteúdo algum), mas sim de lhe dar uma ajuda para que possa imaginar o próprio destino.

Gramática da fantasia

— Carlinhos era sapateiro e fazia os sapatos mais bonitos do mundo! Era engenheiro e fazia as pontes mais longas, mais altas e mais fortes de todo o planeta!

Aos 3 anos, aos 5 anos, esses não são "sonhos proibidos"; são exercícios indispensáveis.

As histórias cujo protagonista é a criança devem ter um "lado" pessoal para ser mais "verdadeiras": é bom que nelas figurem aquele tio daquele menino, aquela porta daquela casa, não outra; nos postos-chave, os lugares precisam ser os que a criança reconheça; as palavras devem estar carregadas de alusões familiares. Portanto, é inútil dar modelos.

As crianças maiores também gostam de fazer parte das histórias, ainda que só com o nome. Quando percorria as escolas para cumprir o meu dever como contador histórias, muitas vezes eu dava às personagens o nome das crianças que me escutavam, mudava o nome dos lugares para adotar outro que elas conhecessem. O nome funcionava como reforço do interesse e da atenção, porque acentuava o mecanismo de identificação.

É esse mecanismo — sempre presente em quem lê, vê um filme ou assiste à TV — que permite introduzir "mensagens" na história com a certeza de que chegarão ao destinatário.

34. Histórias "tabu"

Chamarei de "tabu" uma série de histórias que considero útil contar às crianças, embora muitos torçam o nariz para elas. Essas histórias representam a tentativa de conversar com a criança sobre assuntos pelos quais se interessam intimamente, mas a educação tradicional costuma situá-los entre as coisas sobre as quais "não fica bem falar": as funções corporais, as curiosidades sexuais. Percebe-se que a definição de "tabu" é polêmica e que recorro à transgressão do "tabu".

Acredito que devemos falar dessas coisas com plena liberdade não só em família, mas também na escola, e usando não apenas termos científicos, porque não se vive só de ciência. Conheço as angústias de que padecem os professores que, tanto na educação infantil quanto no ensino fundamental e médio, levam seus alunos a se expressar abertamente, libertar-se de todos os medos, desfazer-se dos eventuais sentimentos de culpa. Aquela parte da opinião pública que adere aos "tabus" é rápida para denunciar obscenidades, fazer as autoridades escolares intervirem, sacudir o código penal. É só uma criança ousar desenhar um nu, masculino ou feminino, com todas as suas características, que logo recairão sobre os professores a sexofobia, a estupidez e a crueldade do semelhante. E quantos professores darão aos alunos a liberdade de escrever, se necessário, a palavra "merda"?

A propósito, os contos populares distanciam-se olimpicamente de toda hipocrisia. Com sua liberdade narrativa, não hesitam em usar aquilo que se chama de "gíria escatológica", suscitar o riso tido como "indecente", dar informações claras das relações sexuais etc. Podemos fazer nosso esse riso, não indecente, mas libertador? Honestamente, penso que sim.

Gramática da fantasia

Sabemos a importância da conquista do controle das funções fisiológicas no crescimento da criança. A psicanálise realmente nos prestou um serviço ao ensinar que um intenso e delicado trabalho emocional está associado a essa conquista. Além disso, faz parte da experiência de todas as famílias o longo período em que a criança tem uma relação muito especial com o penico, envolvendo os próprios familiares nos rituais em que ela se concretiza. Ocorrem ameaças à criança se "não fizer", promessas se decidir "fazer" e prêmios e elogios se o "fizer" e mostrar orgulhosamente a prova de sua bravura. E ocorrem inspeções cuidadosas, conversas entre os adultos sobre o significado de certos indícios, consultas médicas, telefonemas à tia que sabe tudo. Não é de espantar que na vida da criança, durante anos, o penico e o que lhe diga respeito adquiram uma importância quase dramática, mas associada a impressões contraditórias e até misteriosas... Se não se pode falar livremente de coisa tão importante, ai de brincar com ela.

Os adultos, para dizer que uma coisa não é boa, que não deve ser tocada, dizem que é "caca". Nasce em torno da "caca" um mundo de coisas suspeitas, proibidas, talvez condenáveis. Dela surgem tensões, preocupações, pesadelos. Sem saber, os adultos levam essas coisas dentro de si, como objetos misteriosos escondidos em quarto vetado, mas ao menos têm como procurar e encontrar uma compensação na comicidade das histórias sórdidas, do proibido, do obsceno. Existem fortes indícios disso nos contos populares e mais ainda no repertório de anedotas que não se contam na frente das crianças, difundidas por comerciantes em viagem de uma região para a outra, assim como os mercadores antigos contavam acontecimentos longínquos maravilhosos ou as lendas dos santos. Esse riso é proibido à criança. E é ela quem mais precisa dele, não o adulto...

Nada como o riso pode ajudá-la a dar o peso correto, equilibrar suas relações com o tema, sair da prisão das impressões perturbadoras, da teorização neurótica. Há um período em que é quase indispensável inventar, para a criança e com ela, histórias de "cocô", "penico" e afins. Eu fiz isso. Conheço muitos outros pais que também o fizeram e não se arrependeram.

Entre as minhas recordações de pai sem tabus — pelo menos nisto —, existem muitas parlendas e canções sobre o assunto improvisadas para os filhos de parentes usarem. Eram cantadas no carro, não sei por qual reflexo condicionado, nas manhãs de domingo (à noite, de volta dos passeios, as crianças estavam muito cansadas para cantar). Se eu também não fosse, como todos, sujeito às convenções, teria incluído aquelas canções "escatológicas" no meu repertório infantil. Acho que só depois do ano 2000 teremos autores bastante corajosos para fazê-lo...

O detalhe do automóvel influiu diretamente na minha *História do rei Midas*, o qual, liberto do dom de transformar em ouro tudo que tocava, por certo contratempo viu-se obrigado a transformar em cocô o que tocava, e a primeira coisa que tocou foi nada menos que o automóvel dele...

A historinha não tem nada de especial, mas, quando vou a uma escola, costumo ouvir alguém pedi-la, enquanto por toda a classe passeia uma expectativa travessa. As crianças querem me ouvir pronunciar a palavra "cocô" com todas as letras e, por suas risadas, percebe-se que não puderam nunca desabafar até passar a vontade.

Certa manhã no campo, com um grupo de crianças do nosso clã, inventamos um romance inteiramente escatológico, que durou algumas horas e teve um sucesso extraordinário. E o mais extraordinário ainda foi que, depois de todos terem rido até a barriga doer, ninguém mais fez alusão a fezes. A história cumprira sua função, levando a consequências extremas, com toda a agressividade do caso, a contestação da chamada "etiqueta". O enredo, se interessar, era mais ou menos o seguinte:

Em Tarquínia acontecem acidentes de todo tipo: um dia cai um vaso de uma varanda e quase mata um transeunte; outro dia se desprende o beiral do telhado, que se esborracha contra um automóvel... Sempre nas proximidades da mesma casa... Sempre à mesma hora... Bruxaria? Mau-olhado? Uma professora aposentada, depois de meticulosa investigação, conclui que os desastres têm relação direta com o penico de um tal de Maurício, de 3 anos e 5 meses, a cuja influência, porém, também são atribuídos acontecimentos felizes, prêmios na loteria, descoberta de

Gramática da fantasia

tesouros etruscos etc. Resumindo: os vários acontecimentos, auspiciosos ou fatais, dependiam da forma, da quantidade, da consistência e da cor do cocô de Maurício. O segredo não para por aí. Primeiro, alguns familiares, depois outros grupos de amigos e inimigos, começam a tramar para mudar o curso dos acontecimentos. Intrigas e conjecturas se entrelaçam em torno da alimentação de Maurício: os fins justificam os meios... Gangues rivais combatem para conquistar o domínio dos intestinos da criança e realizar os seus projetos. Corrompem o médico, o farmacêutico e a faxineira... De férias em Tarquínia, um professor alemão bem-informado das coisas decide escrever um artigo científico que lhe trará glória e dinheiro, mas, em consequência de uma diarreia incontrolável, transforma-se em cavalo e foge para Maremma, seguido por sua secretária. (Infelizmente não me lembro mais da conclusão, que se expandia em escala cósmica, nem me sinto motivado agora a elaborar uma.)

Se um dia eu escrever essa história, confiarei o manuscrito a um tabelião com a ordem de publicá-lo por volta de 2017, quando o conceito de "mau gosto" terá sofrido uma necessária e inevitável evolução. Nesse tempo, "mau gosto" será explorar o trabalho alheio e prender inocentes, e as crianças, por sua vez, serão mestras na invenção de histórias realmente educativas, até sobre o cocô.

Nas escolas de educação infantil onde realmente são livres para inventar histórias e falar sobre o que interessa, as crianças passam por um período em que fazem uso intenso, agressivo, quase obsessivo dos chamados "palavrões". Prova disso é a história a seguir, contada por um menino de 5 anos na escola Diana de Reggio Emilia e recontada pela professora Giulia Notari.

35. Pedrinho e a massinha

Uma vez Pedrinho estava brincando de massinha. Passou um padre e lhe perguntou:

— O que você está fazendo?

— Estou fazendo um padre como você.

Passou um caubói e lhe perguntou:

— O que você está fazendo?

— Estou fazendo um caubói como você.

Passou um índio e lhe perguntou:

— O que você está fazendo?

— Estou fazendo um índio como você.

Depois passou um diabo que era bom, mas ficou mau porque Pedrinho jogou cocô nele. O diabo chorou porque estava todo sujo de merda, mas depois ficou bom de novo.

Nessa belíssima história, salta aos olhos o uso da linguagem escatológica com função libertadora. A criança, cujo meio lhe deu condições de se expressar sem censura, apressou-se em usar liberdade para os seus propósitos, isto é, exorcizar algum sentimento de culpa adquirido com o aprendizado das funções fisiológicas. Trata-se de "palavras proibidas", que "não ficam bem", que "não devem ser ditas", segundo o modelo cultural familiar. Pronunciá-las significa, portanto, recusar-se a submeter-se a esse modelo cultural repressivo, a transformar em riso o sentimento de culpa.

Passa por aí uma operação mais ampla de autolibertação de todos os medos. A criança personifica seus inimigos, tudo que cheira a culpa e ameaça, e joga uns contra os outros, divertindo-se por humilhá-los.

Observe que a operação não é tão linear. O diabo, a princípio, é abordado com certa prudência. É um "diabo bom". Nunca se sabe. O exorcismo implícito no adjetivo lisonjeiro é enormemente reforçado pelo gesto: para dominar o diabo, joga-se cocô nele, ou seja, o contrário de água benta. Mas também nos sonhos um objeto pode representar o contrário, não é? (O doutor Freud concorda.)

Ora, o diabo perdeu a tranquilizadora máscara da bondade. É aquilo que é: mau. Mas esse reconhecimento ocorre quando se tem condições de desafiar sua maldade e rir dele, porque está imundo: "sujo de merda".

O "riso de superioridade", que permite à criança triunfar sobre o diabo, também permite que ela se recupere: a partir do momento em que não mais causa medo, o diabo pode voltar a ser "bom", mas no nível de uma marionete. O diabo verdadeiro era o que foi bombardeado com excrementos; agora, foi redimensionado, reduzido a brinquedo. Pode-se perdoá-lo... talvez porque foram usados "palavrões"? Um resquício de inquietação ou uma desforra da censura interna, que a história não esclareceu suficientemente...

Todavia, essa leitura, que remete às observações feitas no capítulo anterior, não é suficiente para explicar a história por completo. E, já que estamos aqui, não recusaremos a empreitada.

Ao falar de criação literária, Roman Jakobson observou que "a função poética projeta o princípio da equivalência do eixo de seleção [verbal] no eixo da combinação". Por exemplo, a rima pode expor equivalências sonoras e impô-las à fala: o som precede o significado. Isso também acontece nas invenções infantis, como vimos. Contudo, mesmo antes do "eixo de seleção verbal", vemos projetar-se, na história do Pedrinho e da massinha de modelar, o eixo da experiência pessoal — nesse caso específico, a brincadeira com a massinha e a maneira como a criança a vivencia. A história tem de fato a forma de "monólogo", com o qual a criança acompanha a brincadeira de modelar bonecos. A *forma*, não a *matéria da expressão*, que na brincadeira é, antes das palavras, a massinha. Por outro lado, na história, as palavras são a matéria da expressão.

Em suma, na história, a linguagem assume plenamente sua função simbólica, recusando o auxílio material da brincadeira. Será que se trata de uma relação com a realidade menos rica que a da própria brincadeira? Deveríamos pensar que a brincadeira tem uma função formativa mais concreta, em sua ambiguidade fundamental de lazer-trabalho, enquanto a narrativa, como devaneio verbal, seria uma forma de evasão? Acredito que não. A história, ao contrário, parece-me uma fase mais adiantada do domínio da realidade, uma relação mais livre com os materiais. É uma forma de racionalização da experiência — uma introdução à abstração.

Ao brincar com a massinha (plástica, argila etc.), a criança tem apenas um antagonista: a matéria com que trabalha. Na história, ela consegue multiplicar os antagonistas, fazer com as palavras o que não consegue fazer com a massinha...

Na história, vemos que em torno da massa de modelar articulam-se outras referências à experiência da criança, às personagens do seu mundo e às do seu mito. Tais elementos aparecem combinados em pares, segundo o "pensamento por meio de pares" ilustrado por Wallon (e também segundo o nosso princípio do "binômio fantástico"). A "massa de modelar" opõe-se ao "cocô", evocando-o por analogias aleatórias, mas certamente descoberta e experimentada pela criança na brincadeira: forma, cor etc. (Quem sabe quantas vezes a criança fez "cocô" com a massa de modelar?) O "caubói" é imediatamente contraposto e associado ao "índio"; o "padre", ao "diabo".

É verdade que o diabo não aparece de imediato na história, mas sim com um atraso significativo. Parece que a criança, pensando nele junto com o padre, ou logo depois, resolveu reservá-lo para o efeito final... Na verdade, ela talvez o tenha recusado a princípio para acolher na história a presença menos ameaçadora do caubói e do índio... O medo separou o par "padre-diabo" no nascimento... Mais adiante, a criança teve de acertar as contas com a figura temida e encontrou o modo de inserir o diabo na história de uma maneira que pudesse domá-lo e zombar dele.

Entretanto, de olho no eixo da "seleção verbal", não se pode nem mesmo descartar que o estímulo decisivo à invocação do "diabo" tenha sido o *di* de "índio", somando-se à sugestão do par.

Gramática da fantasia

O próprio diabo, como vimos, desdobra-se em "diabo bom" e "diabo mau". Paralelamente, no que diz respeito à expressão, também se duplica o "cocô", assim chamado da primeira vez, mas chamado de "merda" na seguinte, em um crescendo da palavra infantil para o termo adulto, mais "picante", testemunhando a segurança cada vez maior com que a imaginação manipula a história. Com a liberdade de expressão, cresce a confiança da criança em si mesma.

Quanto a essa criança em particular, não se deve desconsiderar que o "crescendo" tenha algo que ver com uma disposição musical dela, cujos indícios se encontram na escolha das palavras e na estruturação da história.

Note-se a insistência do *p* (ou nada menos que... *p maior*): "Pedrinho", "passou", "padre", "perguntou". Por que essa predileção? Seria a palavra "papai", que toda vez se aproxima e toda vez é rejeitada? Talvez haja um significado. Contudo, é capaz que seja o ouvido insistindo nessa aliteração, como se fosse um simplíssimo tema musical: que seja, portanto, o próprio *p* que faz o "padre" "passar" primeiro. Em suma, primeiro o som, depois a personagem, como se passa às vezes nos processos poéticos (releiam essa última frase... e me verão enredado pelo *p*).

Também a expressão "diabo bom" exige uma explicação, da qual o psicólogo não sentiria falta. Não é uma invenção da criança, a meu ver, mas o eco de um discurso familiar, a recordação da metáfora popular com a qual se define o "bom diabo", a pessoa bondosa, modesta e incapaz de fazer o mal. A criança pode ter escutado essa expressão em casa e a guardou, mas a interpretou ao pé da letra, não sem alguma confusão e perplexidade ("se o diabo é mau, como se faz para ser bom?"). Até dessas confusões e ambiguidades alimenta-se o processo criativo, tanto no poeta como na criança e em qualquer pessoa. O pequeno narrador guardou a metáfora e se saiu com "diabo bom"... O paralelo com o processo musical reaparece...[73]

Quanto à estrutura, a história se divide em duas partes bem distintas, cada uma com um ritmo ternário:

Primeira parte
1. o padre
2. o caubói
3. o índio

Segunda parte
1. o diabo bom
2. o diabo mau
3. o diabo bom

A primeira parte é mais analítica, e sua melodia, por assim dizer, repete-se três vezes, segundo um esquema A-B:

A O que você está fazendo?
B Estou fazendo um padre como você.
A O que você está fazendo?
B Estou fazendo um caubói como você.
A O que você está fazendo?
B Estou fazendo um índio como você.

A segunda parte é mais veloz e movimentada, com um encontro não mais verbal, mas físico, entre a criança e o transeunte (diabo).

Primeiro um *andantino*, depois um *allegro presto*.[74] Um instintivo senso de ritmo predomina claramente nessa configuração.

Apresento agora, mais por escrúpulo que por necessidade de esclarecer, uma objeção à história que eu ouvi: no encontro com o diabo, não há mais massa de modelar, e isso parece privar a história de lógica, bem como privar o final daquele repousante acorde tonal esperado por todos.

Nada disso é verdade. A "massinha" e o "cocô" são a mesma coisa. Talvez o menino tenha demorado para explicar que Pedrinho atirou no diabo um pouco de massinha, que parecia ser aquela outra coisa, e o diabo, na sua ignorância, confundiu-a mesmo com a outra coisa. Mas teria sido quase um pedantismo.

Gramática da fantasia

O garoto condensou as duas imagens — sua imaginação condensou-as para ele, de acordo com a lei da "condensação onírica", já mencionada nestas páginas. Nenhum erro. A lógica da fantasia pode se declarar plenamente satisfeita.

O resultado dessa análise deveria deixar claro que a história se nutriu de contribuições de fontes diferentes: as palavras, seus sons, seus significados, seus improvisos aparentes; as recordações pessoais; o inconsciente vindo à tona; as pressões da censura. O todo combinou-se no plano da expressão, em um processo que deu à criança uma satisfação intensa. A imaginação foi o instrumento, mas toda a personalidade da criança estava empenhada no ato criativo.

Ao avaliar as provas das crianças, a escola infelizmente volta a atenção sobretudo para o nível ortográfico-gramatical-sintático, que nem sequer esbarra no nível linguístico, além de negligenciar o complexo mundo dos conteúdos. O fato é que a escola lê as provas com o fim de avaliá-las e classificá-las, não de entendê-las. A peneira da "correção" retém e valoriza as pedras, deixando o ouro passar...

36. Histórias para rir

A criança que vê a mãe enfiar a colher na orelha, não na boca, ri porque "a mamãe errou": tão grande e não sabe nem usar a colher direito, segundo as normas! Esse "riso de superioridade" (consulte *Il senso del comico nel fanciullo* [O sentido do cômico para a criança], de Raffaele Lapòrta[75]) está entre as primeiras formas de riso de que a criança é capaz. O fato de a mãe ter cometido um erro proposital não faz a mínima diferença: seu gesto, de qualquer modo, é um gesto errado. Se a mãe, depois de repeti-lo duas ou três vezes e variá-lo, levando a colher aos olhos, o "riso de superioridade" será reforçado por um "riso de surpresa". Esses mecanismos simplíssimos são bem conhecidos dos inventores de situações cômicas cinematográficas. O psicólogo observaria, porém, que mesmo o "riso de superioridade" é um instrumento do conhecimento, representado pela oposição entre *uso correto* e *uso errado* da colher.

O recurso mais simples para inventar histórias cômicas nasce do aproveitamento do erro. As primeiríssimas histórias são mais gestuais do que verbais. Papai põe as mãos nos sapatos; depois, a cabeça. Quer tomar sopa com um martelo... Ah, se o senhor pai Monaldo Leopardi tivesse bancado o palhaço para deleite exclusivo de seu pequeno Giacomo, lá em seu vilarejo agreste, talvez, quando adulto, o poeta Giacomo o tivesse compensado escrevendo uma poesia sobre ele. Em vez disso, é preciso recorrer a Camillo Sbarbaro para ver em versos um pai de carne e osso... O pequeno Giacomo, no seu cadeirão, está atento à comida. Escancara-se a porta: entra o pai, vestido de lavrador, tocando flauta e... pulando e dançando... Ah, pai, dê o fora! Você não entendeu nada...[76]

Dos gestos errados surgem as histórias propriamente ditas, às quais eles fornecem pelotões lotados de personagens erradas.

Um fulano vai ao sapateiro e encomenda um par de sapatos para as mãos. É um homem que anda com as mãos. Com os pés ele come e toca sanfona. É um homem ao contrário. Fala ao contrário. Chama a água de "pão" e o supositório de glicerina de "bala de limão" ...

Um cachorro não sabia latir. Acreditava que um gato pudesse ensiná-lo, mas o gato, é claro, ensinou-o a miar. Foi procurar uma vaca e aprendeu a mugir: muuu!...

Um cavalo queria aprender a datilografar. Todavia, esfacelou com seus coices dúzias de máquinas de escrever. Tiveram de fazer para ele uma máquina de escrever grande como uma casa. Agora ele escreve galopando sobre as teclas...

É preciso estar atento a um aspecto particular do "riso de superioridade". Se o perdermos de vista, ele poderá assumir uma função conservadora, aliando-se ao conformismo mais chato e austero. Aí está a origem de certo "comediante" reacionário, aquele que ri do novo, do insólito, do homem que quer voar como passarinho, das mulheres que querem fazer política, dos que não pensam como os outros, não falam como os outros, como querem as tradições e as regras... Para que o riso tenha uma função positiva, é preciso que sua flecha golpeie as velhas ideias, o medo de mudar, o farisaísmo das normas. As "personagens erradas", do tipo anticonformista, devem ter destaque nas nossas histórias. Sua "desobediência" à natureza, ou à norma, deve ser premiada. São os desobedientes que fazem o mundo avançar!

Uma diversidade de "personagens erradas" é representada por nomes engraçados. "O senhor Portapanela morava num país chamado Panelão": nesse caso, o próprio nome suscita a história, uma vez que o sentido banal do nome comum é ampliado e projetado no plano mais nobre do nome próprio, onde se apresenta como uma girafa num coro de monges cistercienses. "Perepé", se nos contentarmos com pouco, é sem dúvida uma personagem mais engraçada do que a que se chama Carlinhos. Ao menos de início. Depois, veremos.

Para surpreender, obtêm-se efeitos cômicos empregando as metáforas da linguagem. Víktor Chklóvsky observou que alguns contos eróticos do *Decâmeron* não passam do desdobramento de metáforas populares do ato sexual ("o diabo e o inferno", "a caça ao rouxinol", "pilão e tigela", entre outras).

Na linguagem diária, usamos muitas metáforas antigas como se fossem sapatos velhos. Quando acontece qualquer coisa contrária às expectativas, dizemos que foi "um balde de água fria". E não nos surpreendemos, porque já ouvimos isso centenas de vezes. Para a criança, contudo, o significado dessa expressão pode ser desconhecido...

> Era uma vez um menino que toda vez que fazia calor pedia que jogassem nele um balde de água fria. Mas, quando chegava o inverno, ele preferia mesmo era um balde de água quentinha.

(E aqui, por pura coincidência, o absurdo adquire o significado de uma parábola sobre o tempo...)

Se por acaso sentimos muita dor, dizemos que "vemos estrelas" (por sermos seres dotados de fala, não astrônomos). Essa expressão também se presta a interessantes desenvolvimentos.

> Era uma vez um rei que gostava tanto de ver estrelas que queria vê-las de dia também. Mas como conseguir isso? O médico da corte sugeriu ao rei o martelo. O rei experimentou martelar o pé e de fato "viu estrelas" em plena luz do dia, mas esse método não lhe agradou. Preferiu que o astrônomo da corte recebesse marteladas nos pés e descrevesse as estrelas que via:
>
> — Ai!... Vejo um cometa verde com uma cauda violeta...
>
> — Ai! Vejo nove estrelas, que seguem de três em três como os reis magos...
>
> O astrônomo fugiu para um país distante. Então, o rei decidiu seguir o curso das estrelas: todo dia dava a volta ao mundo para viver sempre de noite, sob um céu estrelado...

Gramática da fantasia

A língua de todo dia e o vocabulário estão repletos de metáforas à espera de alguém que as entenda ao pé da letra para elaborar uma história. Ainda mais porque, ao ouvido das crianças, inúmeras palavras comuns revelam a metáfora originária ainda intacta.

Um recurso muito produtivo nas histórias cômicas é o da inserção violenta de uma personagem banal num contexto extraordinário (ou, por inversão, de uma personagem extraordinária num contexto banal). Ele está presente em quase todos os processos inventivos: na comédia, explora-se a capacidade da "surpresa", do "desvio da norma".

Um exemplo é a aparição de um crocodilo falante em um programa de televisão. Outro, muito conhecido, é a piada do cavalo que entra num bar para pedir uma caneca de cerveja. (A seguir, a piada complica-se com efeitos de outra natureza: o balconista que se surpreende ao ver o cavalo tomar cerveja, comer a caneca e jogar fora a asa, "que é o mais gostoso", faz a história cair num absurdo mais sutil. Mas aqui isso não nos interessa.) A título de exercício, troquemos o cavalo por uma galinha e o bar por um açougue:

> Em certa manhã, uma jovem galinha entra no açougue e logo vai fazendo seu pedido, sem esperar sua vez. Escândalo entre os fregueses: que mal-educada, não tem respeito, onde vamos parar etc. Mas o balconista serve imediatamente a galinha. Em poucos segundos, enquanto pesa a carne, apaixona-se por ela. Pede sua mão em casamento e saem para o casório. Descrever a festa de casamento, durante a qual a galinha se ausenta por instantes para botar um ovo fresco para o marido...

(Não é uma história antifeminista; é justamente o contrário, se for inventada do jeito certo.)

As crianças logo se dispõem a explorar esse recurso. Em geral o usam para "dessacralizar" os vários tipos de autoridade que são obrigadas a respeitar: fazem o professor cair numa tribo de canibais, numa jaula do zoológico, num galinheiro. Se o professor for inteligente, vai se divertir; se não for, pobrezinho, ficará ofendido. Pior para ele.

Mesmo o recurso de fazer uma inversão total e violenta na norma é fácil de usar e agrada às crianças. Assim aparece um Pedrinho (mas já falei dele, dividindo-o em Marco e Mirco, em outro contexto) que, em vez de ter medo de fantasmas e vampiros, persegue-os e os maltrata, joga-os na lata de lixo...

Nesse caso, o exorcismo do medo ocorre por meio de um "riso de agressividade" — parente próximo dos bolos na cara do cinema mudo — e de um "riso de crueldade", para o qual as crianças estão sempre prontas, mas tem também seus perigos, como quando elas riem de defeitos físicos, atormentam gatos, arrancam a cabeça das moscas.

Os especialistas já explicaram que rimos da pessoa que cai porque ela não se comportou segundo a norma humana, mas de acordo com a do taco de bilhar, que não para em pé. Dessa observação, tomada ao pé da letra, extraímos o recurso da "coisificação".

a) A profissão do tio do Roberto é cabideiro. Fica sempre de braços abertos na entrada dos restaurantes de luxo; os clientes chegam e deixam sobretudos, chapéus e bolsas nos braços dele; nos bolsos, penduram guarda-chuvas e bengalas...

b) A profissão do senhor Dagoberto é escrivaninha. Quando o patrão inspeciona a fábrica, Dagoberto o acompanha e se curva quando o patrão precisa anotar alguma coisa...

O riso, inicialmente cruel, dá lugar aos poucos a certa inquietação. A situação é cômica mas injusta. Pode-se rir, mas é triste. Entramos agora no território da definição pirandelliana do humorismo e de seus efeitos[77]. E paramos por aqui, para não complicar o nosso discurso.

37. A matemática das histórias

A famosa história do Patinho Feio, de Andersen — isto é, do cisne que por engano foi parar num bando de patos —, pode ser traduzida em termos matemáticos na "aventura de um elemento A, que acabou por engano no conjunto dos elementos B e não consegue encontrar a paz até voltar ao seu conjunto natural, o dos elementos A..."

Não tem importância o fato de Andersen não ter pensado nessa história segundo a teoria dos conjuntos. Também não importa que ele provavelmente nem sequer tenha suspeitado que estava brincando com as classificações de Lineu, embora as conhecesse. Ele tinha em mente coisa bem diversa, sobretudo uma parábola da sua vida, de "patinho feio" a cisne da Dinamarca. Mas a mente é uma só e não há nenhum canto dela que seja desconhecido dos processos e da atividade mental, por mais intencionais que sejam. Mesmo que não se perceba, o conto é também um exercício de lógica. E é difícil traçar uma fronteira entre as operações da lógica fantasiosa e as da lógica sem adjetivos.

Assim, a criança, ao ouvir ou ler essa história, indo da ternura ao entusiasmo e descobrindo no destino do "patinho feio" uma promessa segura de triunfo, não consegue perceber que se imprime na sua mente o embrião de uma estrutura lógica — no entanto, o fato permanece.

Agora a pergunta é a seguinte: é lícito fazer o percurso inverso, partir de um raciocínio para encontrar uma fábula, utilizar uma estrutura lógica para uma invenção da imaginação? Acredito que sim.

Se eu conto às crianças a história de um pintinho perdido que sai à procura da mãe e acredita tê-la encontrado em um gato ("Mamãe!" "Miau! Suma daqui ou eu o devoro!"), depois em uma vaca, em uma motocicleta, em um trator... e enfim encontra a galinha (que por sua

Gianni Rodari

vez o procurava e desafoga a angústia com muitas bicadas, recebidas com êxtase pelo pintinho), refiro-me fundamentalmente a uma das necessidades profundas da criança, a de ter sempre a segurança de encontrar a mãe. Antes de as crianças ouvirem o reconfortante fim da história, eu reacendo nelas a tensão que costuma acompanhar o medo de perder os pais; toco em certos recursos do riso, mas ao mesmo tempo ativo na mente delas um processo essencial à produção de instrumentos cognitivos.

Quando escutam histórias, as crianças exercitam-se na classificação, na construção de conjuntos possíveis e na exclusão de conjuntos impossíveis de animais e objetos. A imaginação e o raciocínio tornam-se nesse momento uma coisa só, e não conseguimos prever se o que permanecerá para elas, terminada a história, será uma emoção ou certa atitude perante a realidade.

Outra história para contar às crianças, nessa sequência de ideias, é aquela que chamarei de "brincadeira do quem sou eu".

Uma criança pergunta à mãe: "Quem sou eu?" "Você é meu filho" — responde a mãe. A mesma pergunta suscita respostas diferentes de pessoas diferentes: "você é meu neto", dirá o avô; "meu irmão", dirá o irmão; "um pedestre", "um ciclista", dirá o guarda; "meu amigo", dirá o amigo... A exploração dos conjuntos de que a criança faz parte é para ela uma aventura excitante. Descobre ser filha, neta, irmã, amiga, pedestre, ciclista, leitora, aluna, jogadora de futebol — descobre suas múltiplas ligações com o mundo. A operação fundamental realizada pela criança é de ordem lógica; a emoção é um reforço.

Conheço professores que inventam e ajudam as crianças a inventar histórias belíssimas ao lidar com "blocos lógicos", materiais concretos da aritmética, fichas para a teoria dos conjuntos, personificando-os, atribuindo-lhes papéis fantasiosos. Esse não é "outro modo" de ensinar a teoria dos conjuntos, em oposição ao modo operacional manual exigido nas primeiras aulas: é o mesmíssimo modo, só que enriquecido de significados. Assim, encontra-se utilidade não só para a capacidade da criança de "entender com as mãos", mas também a de "entender com a fantasia", igualmente preciosa.

No fundo, portanto, a história do Triângulo Azul que procura sua casa entre os Quadrados Vermelhos, os Triângulos Amarelos, os Círculos Verdes etc. continua sendo a história do Patinho Feio, mas recriada do zero, reinventada e revivida com um pouquinho mais de emoção, o que lhe dá um tom pessoal.

Uma operação mental mais difícil é aquela que leva a entender que "a + b = b + a". Nem todas as crianças chegam a isso antes dos 6 anos.

O coordenador pedagógico Giacomo Santucci, de Perúgia, costuma perguntar aos alunos do 1º ano: "Você tem um irmão?" "Sim." "E seu irmão tem um irmão?" "Não." Esta é a belíssima e decisiva resposta em nove de dez vezes. Pode ser que essas crianças não tenham ouvido em número suficiente histórias mágicas em que a varinha de condão das fadas ou o feitiço dos magos produza com a mesma facilidade certos efeitos e efeitos contrários: transformar uma pessoa em camundongo e um camundongo de novo em pessoa.

Histórias desse tipo podem muito bem (e digamos aqui "entre outras coisas", para não induzir a mal-entendidos) ajudar a mente a fabricar o seu instrumento de reversibilidade.

Existe a história de uma pobre criatura que, vinda não sei de onde, chega à cidade e precisa pegar o bonde 3 e depois o 1 para ir à praça da Catedral, mas, para economizar, acaba comprando o bilhete do bonde 4 ("três mais um"). Essa história talvez ajude as crianças a distinguir adições corretas de adições inviáveis. Todavia, antes de tudo, é claro que os pequenos se divertirão.

Laura Conti[78] revelou no *Giornale dei Genitori* (*Jornal dos Pais*) que, quando criança, cultivava esta fantasia: "Em um jardim *pequeno* há uma mansão *grande*; na mansão *grande* há um quarto *pequeno*; no quarto *pequeno* há um jardim *grande*..." Esse jogo com as relações entre "grande" e "pequeno" representa uma primeira conquista da relatividade. Acredito que é extremamente útil inventar histórias desse tipo em que sejam protagonistas as relações de oposição: "pequeno--grande", "alto-baixo", "fino-grosso" etc.

Era uma vez um hipopótamo pequeno. E também havia uma mosca grande. A mosca grande debochava do hipopótamo pequeno, só porque era pequeno etc.

(No final, descobre-se que um hipopótamo pequeno é sempre maior que a maior das moscas.)

Pode-se imaginar viagens "para o maior" ou "para o menor". Há sempre uma personagem menor que a menor personagem. Há sempre uma senhora gorda mais gorda que outra que está desesperada porque é... gorda. (A história é de Enrica Agostinelli.[79])

Outro exemplo, para ilustrar a relação e a relatividade de "muito" e "pouco":

Um senhor tinha 30 automóveis. As pessoas diziam: "Nossa, ele tem *muitos automóveis!*" O mesmo senhor tinha também 30 fios de cabelo. E as pessoas diziam: "Ih, como aquele senhor tem *poucos fios de cabelo...*" Por fim, ele teve de comprar uma peruca. Etc.

O fundamento de toda atividade científica é a medição. Existe uma brincadeira para crianças que deve ter sido inventada por um grande matemático: o jogo dos passos. De vez em quando, a criança que comanda o jogo ordena aos participantes que deem "três passos de leão", "um passo de formiga", "um passo de caranguejo", "três passos de elefante"... Assim, o espaço da brincadeira é mensurado e remensurado constantemente, criado e recriado do zero segundo diversas unidades de medida fantasiosas.

Dessa brincadeira podem nascer exercícios matemáticos muito divertidos para descobrir "quantos sapatos a classe mede", "quantas colheres o Carlinhos mede de altura", "quantos saca-rolhas cabem da mesa ao fogão". Da brincadeira à história, o passo é curto.

Às nove da manhã, um menino mede a sombra do pinheiro no pátio da escola: ela tem 30 sapatos. Outra criança, intrigada, repete a medição às 11 horas: a sombra mede apenas dez sapatos. Discussão, briga.

Gramática da fantasia

As duas crianças vão juntas medir a sombra às duas da tarde e encontram uma terceira medida. ("O mistério da sombra do pinheiro" me parece o título perfeito para uma história assim, que pode ser contada e vivida coletivamente.)

A técnica "executiva", por assim dizer, para inventar histórias de conteúdo matemático não diverge daquela das outras histórias que exemplificamos aqui e ali. Se uma personagem se chama "Senhor Alto", ela tem no nome o seu destino, e na própria natureza, suas aventuras e desventuras; basta analisar o nome para deduzir os casos. Ele representará certa unidade de medida do mundo, um ponto de vista especial, que terá vantagens e desvantagens: enxergará mais do alto que todos, mas diversas vezes se partirá em tantos pedaços que precisará ser recomposto pacientemente... Como qualquer outro brinquedo, qualquer outra personagem, ele se prestará a ser um símbolo. Talvez perca pelo caminho suas origens matemáticas para adquirir outros significados: e então será preciso soltar a imaginação para segui-lo até onde for possível, sem aprisioná-lo em um padrão da vontade e do intelecto. Para ter êxito, a história precisa ser apresentada sempre com fidelidade, na certeza de que o exercício da fidelidade será recompensado em nove de dez vezes, pois, como diz o Evangelho ao recomendar que se pense no Reino dos Céus, o resto virá sozinho.

38. A criança que ouve contos populares

Para entrar na experiência da criança de 3 ou 4 anos cuja mãe lê ou narra para ela um conto infantil, contamos com pouquíssimos fatos confiáveis e passamos a usar a imaginação. Entretanto, erraremos se procurarmos o ponto de partida no próprio conto e em sua narrativa. Na situação vivida pela criança, os elementos mais importantes podem não dizer respeito a ela diretamente.

Antes de mais nada, para a criança, o conto é o instrumento ideal para manter o adulto por perto. A mãe está sempre tão ocupada; o pai aparece e desaparece num ritmo misterioso, fonte de frequentes inquietações. É raro o adulto ter tempo para brincar com a criança como ela gostaria, ou seja, com total dedicação e participação, sem distração. Mas com o conto é diferente. Até o final, a mãe está ali, toda para o filho — presença duradoura e consoladora, fonte de proteção e segurança. Não se disse ainda que a criança, quando pede outra história depois da primeira, talvez não esteja real ou exclusivamente interessada na narrativa — é possível que queira apenas prolongar ao máximo aquela situação agradável, continuar a ter a mãe ao lado da sua cama ou sentada na mesma poltrona; bem confortável, para que não queira fugir cedo demais...

Enquanto flui entre elas o rio tranquilo do conto, a criança pode finalmente desfrutar a mãe com calma, observar seu rosto em todas as particularidades, investigar-lhe os olhos, a boca, a pele... Ela a está ouvindo, mas sem dúvida permite distrair-se do que ouve — por exemplo, se já conhece a história (e talvez por isso tenha pedido com esperteza a repetição), precisando apenas verificar se ela transcorre normalmente. Enquanto isso, é possível que a ocupação principal da criança seja

Gramática da fantasia

aquela investigação da mãe ou do adulto, o que ela nem sempre pode fazer pelo tempo que gostaria.

A voz da mãe não fala só de Chapeuzinho Vermelho ou do Pequeno Polegar: fala de si própria. Um semiólogo diria que a criança está interessada, nesse caso, não só no *conteúdo* e em suas *formas*, não só nas *formas da expressão*, mas na *substância da expressão*, isto é, na voz materna, na sua modulação, no seu volume, na sua música que transmite ternura, desata os nós da inquietação e faz desaparecer os fantasmas do medo.

Depois, ou melhor, ao mesmo tempo, vem o contato com a língua materna, suas palavras, suas formas, sua estrutura. Nunca conseguimos perceber o momento em que a criança, ao escutar um conto popular, apodera-se por absorção de determinada relação entre os termos do discurso, descobre o uso de um modo verbal, a função de uma preposição. Todavia, me parece certo que o conto infantil representa para a criança uma provisão abundante de informações sobre o idioma. Do seu trabalho para entender a história faz parte a compreensão das palavras que constam dela, para estabelecer analogias entre elas, completar deduções, ampliá-las ou restringi-las, especificar ou corrigir o campo de um significante, os limites de um sinônimo, a esfera de influência de um adjetivo. Na sua "decodificação", esse elemento de atividade linguística não é adicional, mas tão determinante quanto os outros. E falo de "atividade" para sublinhar, também a esse respeito, que a criança absorve do conto, da situação, de todos os acontecimentos da realidade aquilo que lhe interessa, aquilo que lhe serve, num trabalho contínuo de escolha.

Para que o conto popular ainda lhe serve? Para estruturar sua consciência, para estabelecer relações entre "eu e os outros", "eu e as coisas", "as coisas verdadeiras e as coisas inventadas". Servem a ela para tomar distância no espaço ("longe-perto") e no tempo ("uma vez--agora", "antes-depois", "ontem-hoje-amanhã"). O "era uma vez" do conto de fadas não é diferente do "era uma vez" da história, mesmo que a realidade do conto — como a criança logo descobre — seja diferente da realidade em que ela vive.

Gianni Rodari

Lembro-me de um diálogo com uma criança de 3 anos que me perguntou:

— E depois, o que vou fazer?
— Depois você irá à escola.
— E depois?
— E depois para outra escola, para aprender mais coisas.
— E depois ainda?
— Ficará grande, se casará...
— Ah, não...
— Por quê?
— *Porque eu não estou no mundo dos contos de fadas; estou no mundo das coisas verdadeiras.*

Para ela, "casar" era um verbo dos contos infantis, o verbo final, o destino das princesas e dos príncipes, em um mundo que não era seu.

Desse ponto de vista, o conto popular representa uma útil iniciação à humanidade, ao mundo dos destinos humanos — como escreveu Italo Calvino no prefácio das *Fábulas italianas* —, ao mundo da história.

Já se disse, e é verdade, que os contos infantis oferecem um rico repertório de características e de destinos, no qual a criança encontra indícios da realidade que ainda não conhece, do futuro sobre o qual ainda não sabe pensar. Foi dito depois, e isto também é verdade, que os contos espelham em geral modelos culturais arcaicos, superados, em contraposição à realidade social e tecnológica que a criança encontrará crescendo. Porém, a objeção cai por terra quando se percebe que os contos populares constituem um mundo à parte para a criança, um teatrinho separado dela por uma grossa cortina de pano. Não são objetos de imitação, mas de contemplação. E a contemplação se ativa, impondo à escuta mais os interesses do ouvinte do que o conteúdo dos contos. De resto, quando, na fase "realista" da infância, a criança atravessar o período em que o conteúdo se torna essencial, os contos deixarão de lhe interessar — exatamente porque suas "formas" não mais lhe fornecerão matéria-prima para suas ações.

Gramática da fantasia

Tem-se a sensação de que, diante da estrutura do conto infantil, a criança contempla a estrutura da própria imaginação e as cria ao mesmo tempo, adquirindo um recurso indispensável ao conhecimento e ao domínio da realidade.

Escuta é treino. O conto popular tem para os pequenos a mesma seriedade e verdade da brincadeira: serve para que eles se comprometam, se conheçam, se preparem. Por exemplo, para se avaliar diante do medo. Não me parece convincente tudo que se diz sobre as consequências negativas que os "horrores" dos contos infantis teriam para a criança — criaturas monstruosas, bruxas pavorosas, sangue, morte (o Pequeno Polegar degolando as sete filhas do Ogro). Dependerá das circunstâncias em que a criança se encontra, por assim dizer, com o lobo. Se é a voz da mãe que o evoca, na paz e na segurança do ambiente familiar, a criança consegue desafiá-lo sem medo. Pode "brincar de ter medo" (brincadeira que tem sentido na formação dos mecanismos de defesa), segura de que bastaria a força do pai ou o chinelo da mãe para afugentar o lobo.

— Se ele estivesse aqui, você mandava ele embora, não é?
— Claro que sim! Com pontapés.

Se, ao contrário, a criança sente um medo angustiante do qual não consegue defender-se, seria de concluir que o medo já estava nela antes de o lobo aparecer na história: estava dentro dela, numa intimidade conflitiva. O lobo é, portanto, o sintoma que revela o medo, não a causa dele...

Se é a mãe quem conta a história do Pequeno Polegar, abandonado no bosque com seus irmãozinhos, a criança não teme que o mesmo destino recaia sobre ela e pode concentrar toda a atenção na bem conhecida astúcia do minúsculo herói. Se a mãe estiver fora, se os pais estiverem fora e outra pessoa contar a mesma história, talvez ela se assuste, mas só por lhe revelar sua condição de "abandonada". E se a mãe não voltar? Eis o tema do seu súbito medo. Aqui se projeta, sobre o "eixo da escuta", a sombra de temores inconscientes, de experiências

Gianni Rodari

de solidão — a lembrança da vez em que a criança despertou, chamou, chamou e ninguém respondeu. Portanto, a "decodificação" não provém de leis iguais para todos, mas de leis particulares, personalíssimas. Só em linhas gerais se pode falar de "ouvinte típico"; na verdade, não existem dois ouvintes iguais.

39. A criança que lê quadrinhos

Se existe um "eixo da escuta", existe também um "eixo da leitura". Devem ser feitas descobertas interessantes ao explorá-lo, acompanhando ou imaginando o trabalho mental de uma criança que lê uma história em quadrinhos.

A criança tem 6, 7 anos. Superou a fase em que pedia aos pais que lhe lessem uma história em quadrinhos ou inventava uma leitura fantasiosa, interpretando-os por meio de indícios conhecidos apenas por ela. Agora já sabe ler. A revista em quadrinhos é a sua primeira leitura realmente espontânea e motivada. Lê porque quer saber o que vai acontecer, não porque lhe deram essa tarefa. Lê para si, não para os outros (o professor) ou para fazer bonito (nota alta).

Primeiro, ela deve distinguir e reconhecer as personagens nas situações subsequentes, firmar a identidade delas nas diversas posições em que aparecem, com expressões variáveis, às vezes surgindo com cores diferentes, cujo significado a própria criança interpretará: vermelho, raiva; amarelo, medo... Mas o código da "cor psicológica" não é fixo; o desenhista pode recriá-lo a cada vez, e ele será redescoberto e reconstituído pelo leitor.

A criança deve atribuir uma voz às personagens. É verdade que o ponto de partida é quase sempre indicado precisamente em cada balão: se a personagem está falando, tal boca; se a personagem pensar, tal cabeça — e também a distinção entre as falas e os pensamentos implica a leitura correta de certos símbolos.

Quando as personagens dialogam, a criança deve atribuir as falas a uma e a outra, entender em que ordem elas aparecem (nos quadrinhos, o tempo nem sempre vai da esquerda para a direita como a linha

Gianni Rodari

tipográfica), se acontecem ao mesmo tempo, se um personagem fala e outro pensa, se um deles pensa uma coisa e diz outra, e assim por diante.

Simultaneamente, a criança deve reconhecer e distinguir os ambientes internos e externos, registrar suas modificações, sua influência nas personagens, apreender os elementos que antecipam o que talvez aconteça à personagem se fizer algo ou for a determinado lugar — coisa que ela não sabe, porque não é onisciente como o leitor atento. Nos quadrinhos, o ambiente quase nunca é decorativo, mas funcional na narrativa — faz parte da sua estrutura.

É necessária uma intervenção ativa, ou melhor, ativíssima da imaginação para preencher o vazio entre um quadrinho e o outro. No cinema ou na televisão, as imagens se sucedem continuamente, descrevendo ponto por ponto o transcorrer da ação. Nos quadrinhos, a ação pode começar no primeiro quadro e terminar no segundo, saltando todas as passagens intermediárias. A personagem, que no primeiro quadro cavalgava alegremente, cai no chão no segundo: a queda propriamente dita deve ser imaginada. O efeito final de certo gesto é visível, mas não o seu desenvolvimento. Os objetos se apresentam em disposição diferente: é preciso imaginar o caminho percorrido por cada um deles da posição anterior à nova. Todo esse trabalho é confiado à mente do leitor. Se o cinema equivale à escrita, os quadrinhos equivalem à estenografia, cujo texto precisa ser reconstituído.

Entretanto, o leitor não deve perder de vista os sons indicados nos balões, compreender as nuances (um *crec* não é um *paf*), individualizar a causa. Nos quadrinhos mais banais, o alfabeto dos barulhos é muito limitado e rudimentar. Nos quadrinhos cômicos ou mais sofisticados, aos barulhos fundamentais juntam-se em geral outros, que também precisam ser decifrados.

Todo o curso da história precisa ser reconstituído na imaginação, associando as indicações dadas pelas legendas àquelas dos diálogos e dos sons, do desenho e da cor, reunindo mentalmente em um só fio contínuo os muitos fios partidos que compõem o roteiro, cuja trama permanece invisível por longos trechos. É o leitor que dá sentido ao todo: as características das personagens, que não são descritas mas

Gramática da fantasia

mostradas em ação; suas relações, que resultam da ação e dos seus desdobramentos; a própria ação, que só se revela em saltos e fragmentos. Para uma criança de 6 ou 7 anos, parece-me uma atividade bem difícil, cheia de operações lógicas e imaginativas, independentemente do valor e do conteúdo da história em quadrinhos, os quais não discutiremos aqui. A imaginação da criança não é passiva, mas instada a tomar posição, analisar e sintetizar, classificar e decidir. Não há lugar para devaneios vazios, já que a mente é forçada a uma atenção complexa, e a fantasia, chamada para assumir funções mais nobres.

Eu diria que, até certo ponto, o interesse principal da criança pelos quadrinhos não é condicionado pelo conteúdo, mas tem relação direta com a forma e a substância da expressão dos próprios quadrinhos. A criança quer apoderar-se do meio — é isso. Lê quadrinhos para aprender a ler quadrinhos, para compreender suas regras e convenções. Aprecia o trabalho da própria imaginação, mais até que das aventuras das personagens. Brinca com a própria mente, não com a história. Não que as coisas aceitem ser tão peremptoriamente distintas, mas vale a pena distingui-las se a distinção nos ajudar a não subestimar a criança nem ao menos neste caso: não subestimar sua seriedade fundamental, o empenho moral que põe em tudo que faz.

Eu já disse tudo sobre as histórias em quadrinhos, bem ou mal, e não repetirei.

40. A cabra do senhor Séguin

Uma vez, os alunos de Mario Lodi leram na classe a história da pobre cabrita do senhor Séguin, que, cansada da corda com que o dono a prendia, foge para as montanhas, onde, ao final de uma luta heroica, é comida por um lobo. Guardo até hoje o número do *Insieme* [*Juntos*] (o jornalzinho de classe que há anos, geração após geração, os garotos do vilarejo de Vho produzem e distribuem aos amigos) com o registro da discussão que se seguiu àquela leitura.[80] Aqui está ela:

Walter: O Daudet escreveu a história de uma cabra, a cabra do senhor Séguin, e nós a discutimos porque não concordávamos com ela.

Elvira: A cabra do Daudet escapou porque queria ficar livre e o lobo comeu ela. Nós refizemos a história de outro jeito.

Francesca: O dono dizia à cabra que na montanha havia um lobo, mas só para manter a cabra presa e tirar o leite dela.

Danila: Nós escrevemos que a cabra escapou e viveu feliz nas montanhas.

Miriam: Como os seres humanos, a nossa cabra também quer ser livre.

Mario: E tinha esse direito. Se o lobo aparecesse, todas as cabras juntas poderiam matar ele com chifradas.

Miriam: Eu acho que o Daudet quis ensinar que acontecem problemas quando a gente desobedece.

Walter: Mas a nossa cabra, quando pulou a cerca, estava desobedecendo um dono que deixava ela presa só para roubar o leite dela. Nesse caso não é uma desobediência, é uma revolta contra um ladrão.

Mario: Claro, porque ele roubava o leite dela, e ela queria ser livre.

Miriam: Mas ele precisava do leite da cabra.

Francesca: Mas a cabra precisava de liberdade. O dono podia levar a cabra para passear nas montanhas e ela dava o leite para ele.

Walter: Mas o Daudet disse que a cabra não queria só uma corda mais longa; não queria era a corda, nem longa nem curta.

Francesca: Esse conto me faz lembrar da luta dos italianos para se libertar dos austríacos.

Miriam: Quando os italianos se libertaram, ficaram felizes como a cabra quando chegou à montanha.

No jornalzinho, vem a seguir a história reescrita pelos alunos. Nela, o sonho da cabrita era coroado com o triunfo de uma sociedade de cabras livres numa montanha livre.

Escolhi esse texto para prosseguir em outra direção a exploração do "eixo da leitura", iniciada com a criança que lê histórias em quadrinhos, e também porque exemplifica, como caso limítrofe, o que os teóricos da informação querem dizer ao afirmar que "a decodificação de uma mensagem acontece sempre conforme o código do destinatário".

A história de Daudet, na verdade, se prestaria a interpretações mais sutis. Não se trata simplesmente de um caso de desobediência punida. A cabra, no final, aceita a morte combatendo gloriosamente. Poderíamos até fazê-la dizer: "Melhor morrer que viver na escravidão"... Mas os alunos de Vho, recusando-se ao envolvimento com conotações ambíguas — como ambíguos são quase sempre os caminhos do humorismo —, cortaram da história, sem piedade, a moral reacionária. A gloriosa tragédia final não conseguiu persuadi-los: para eles, o herói deve vencer e a justiça deve triunfar...

Todas igualmente "conteudistas" e insensíveis à elegância da expressão, as crianças apresentaram posições distintas durante a discussão.

Miriam não parece muito disposta a negar que "quando se desobedece acontecem problemas" e reconhece, com a capacidade toda feminina de se colocar na pele dos outros, que o dono "precisava do leite da cabra".

Francesca se contentaria com um ajuste reformista: "O dono podia levar a cabra para passear nas montanhas e ela lhe dava o leite".

Walter é o mais consequente, o mais radical: a cabra "não queria era a corda, nem comprida nem curta".

Afinal, impõe-se um sistema de valores coletivos, com as palavras-chave "liberdade", "direito", "juntos" (a união faz a força).

Os alunos vivem e trabalham "juntos" há anos, em uma pequena comunidade democrática que exige e estimula sua participação criativa, em vez de reprimi-la ou instrumentalizá-la. Leia estes dois livros extraordinários de Mario Lodi: *C'è speranza se questo accade al Vho* [*Há esperança se for em Vho*] e *Il paese sbagliato* [*O país errado*]. Eles explicam que as crianças, ao dizerem palavras como "liberdade", "direito, "juntos", sabem que elas contêm sua experiência. Não são palavras aprendidas; são palavras vividas e conquistadas. Os pequenos gozam de liberdade de pensamento e de expressão. Estão habituados a exercer sua crítica a todo material, inclusive o papel impresso. Não conhecem nem mesmo provas e notas: cada momento de seu trabalho está longe de ser ditado por programas burocráticos, por uma rotina didática, por exigências da escola como instituição, mas é motivado como ato vital. É um "momento de vida", não um "momento escolar". Para os alunos, portanto, discutir a história de Daudet não é um exercício escolar, mas uma necessidade.

Esses estudantes são majoritariamente filhos de trabalhadores rurais; encontram-se numa pequena colônia no Vale do Pó, zona de forte tradição de lutas sociais e políticas, que deu sua contribuição para a Resistência[81]. A palavra "patrão" tem para eles um sentido preciso de "dono" da colônia; um "dono" inimigo.[82] E foi essencialmente a palavra "dono" que orientou, na imaginação deles, a "decodificação" da mensagem.

Francesca e Miriam, adequando-se à interpretação coletiva, tendem a tirá-la do âmbito da luta de classes, recordando "a luta dos italianos para libertar-se dos austríacos", isto é, recorrendo a figuras da vaga mitologia dos livros didáticos. Contudo, a comparação decisiva já fora pronunciada com determinação por Walter, quando equacionou os termos "dono" e "ladrão". Com base nessa equação, é possível distinguir "desobediência" de "rebelião".

Francesca falara do dono que mantinha a cabra prisioneira para lhe tirar o leite. Mas Walter recusou energicamente o verbo "tirar" e seus ecos escolares ("do carneiro tira-se a lã"…) para transformá-lo sem equívocos em um violento "roubar". Assim, na discussão, as palavras do texto lido perdem peso e outras emergem, recompondo o conto de acordo com uma norma autônoma.

Já se dizia antigamente: "*de te fabula narratur*"[83]. Mesmo as crianças que não conhecem o latim contam para si mesmas as fábulas que escutam. Os alunos de Vho praticamente se esqueceram da cabra para colocar na mesma situação elas próprias e o "dono", o papai lavrador assalariado e o "patrão".

Na imaginação da criança leitora — assim como na da criança ouvinte —, a mensagem não se grava como ponta-seca na cera, mas colide com todas as forças da personalidade dela. Isso fica mais evidente no exemplo dos alunos de Mario Lodi, que conseguiram explicitar o aspecto "autorreflexivo" da leitura e expressar-se criativamente. Mas o confronto sempre se dá. Pode ocorrer no subconsciente e permanecer improdutivo, se acaso a criança estiver condicionada a escutar somente para conformar-se com o que ouve, a ler permanecendo nos limites do modelo cultural e moral imposto pelo texto. Na maioria das vezes, porém, a criança que está nessa situação apenas finge educadamente…

Se você contar a uma criança a história da cabra do senhor Séguin e ressaltar o eventual caráter de apologia dos "problemas" decorrentes da desobediência, ela perceberá que se espera dela uma séria condenação da desobediência. Até registrará isso por escrito, se lhe exigirem um resumo da história. Chegará a se convencer superficialmente de que acredita nisso. Mas não será verdade. Ela estará mentindo, como os alunos mentem todos os dias ao escrever redações sobre o que acham que os adultos desejam ler. Por conta própria, ela se contentará em esquecer o mais depressa possível a história da cabra, do mesmo modo que esquece as outras histórias edificantes…

O encontro decisivo das crianças com os livros se dá nas carteiras das escolas. Se ocorrer em uma situação criativa, na qual o que conta é a vida e não o exercício, poderá surgir aquele gosto pela leitura que não nasce conosco, porque não é um instinto. Se ocorrer numa situação burocrática, se o livro for mortificado como instrumento de exercício (cópia, resumo, análise gramatical etc.), sufocado pelo tradicional mecanismo de "pergunta e resposta", é provável que nasça uma *técnica* de leitura, mas não o *gosto* por ela. As crianças saberão ler, mas só se obrigadas. Sem a obrigação, vão se refugiar nos quadrinhos — mesmo sendo capazes de leituras mais complexas e mais ricas —, talvez apenas porque os quadrinhos não tenham sido "contaminados" pela escola.

41. Histórias para brincar

Conto a um grupo de crianças uma história de fantasmas, para o programa de rádio *Tante estorie per giocare* [*Muitas histórias para brincar*]). Eles vivem em Marte, ou melhor, sobrevivem, porque lá ninguém os leva a sério; adultos e crianças os insultam; já não têm prazer em arrastar velhas correntes enferrujadas... Decidem enfim emigrar para a Terra, onde, pelo que se saiba, muita gente ainda tem medo de fantasmas.

As crianças riem e garantem que não têm medo nenhum de fantasma.

"A história para aqui", digo eu. "É preciso continuá-la e finalizá--la. O que vocês sugerem?"

Eis as respostas.

— Enquanto viajam para a Terra, alguém muda de lugar as placas do espaço sideral, e os fantasmas acabam indo para uma estrela distante.

— As placas nem precisam estar erradas. Os fantasmas não veem, porque ficam com o lençol na frente dos olhos. Pegam o caminho errado e vão parar na Lua.

— Alguns até chegam à Terra, mas são muito poucos para assustar as pessoas.

Cinco crianças de 6 a 9 anos, que momentos antes concordaram em zombar dos fantasmas, agora concordam em evitar que eles invadam a Terra. Como ouvintes, sentiram-se bastante seguras para rir; como narradoras, obedecem a uma voz interior que lhes recomenda prudência. Sua imaginação, agora, volta-se para uma referência inconsciente a todos os seus medos (de fantasmas e, é claro, das coisas que eles representam).

Assim, a agitação dos sentimentos influencia a matemática da imaginação. A história só poderia prosseguir por meio de filtros múltiplos. Embora se apresentasse claramente grotesca, a história foi sentida como ameaça. O "código do destinatário" soou o alarme no ponto em que o código do transmissor pretendia provocar uma risada.

A essa altura, o narrador tem a possibilidade de escolher um final tranquilizador ("os fantasmas acabam nos confins da Via Láctea") ou um final provocativo ("desembarcam na Terra e fazem todo tipo de extravagância e maldade"). Pessoalmente, naquela ocasião escolhi o caminho da surpresa: nas proximidades da Lua, os fantasmas fugidos de Marte se chocam com os fantasmas fugidos da Terra pela mesma razão; juntos, mergulham nos abismos do cosmos. Tentei, por assim dizer, contrabalançar o medo com um "riso de superioridade". Se errei, penitencio-me.

No mesmo ciclo de transmissões do programa, proponho a outro grupo de crianças a história de um homem que não consegue dormir porque todas as noites ouve vozes lamentosas e não tem sossego se não socorrer primeiro quem precisa dele, perto ou longe. (Na história, ele consegue deslocar-se em instantes de um canto da Terra a outro.) Uma simples parábola da solidariedade.

No entanto, quando chegamos à discussão de um possível final, a primeira criança instada a dar uma sugestão responde, sem hesitar: "Ah, eu enfiava tampões nos ouvidos!"

Deduzir dessa resposta que se tratava de um menino egoísta e antissocial seria fácil, mas bem errado. Todas as crianças são naturalmente egocêntricas; a questão não é essa. Aquele menino, na verdade, havia "decodificado" o lado cômico da situação, privilegiando-o ao lado patético: não deu ouvidos aos lamentos, mas viveu a situação daquele pobre homem que noite após noite não deixavam dormir em paz, não importa o motivo.

Devo acrescentar que estávamos em Roma e que os romanos, desde pequenos, estão prontos para qualquer piada. Repito: aquelas crianças não mostravam nenhuma reverência pelo ambiente (o estúdio de rádio, onde estiveram muitas vezes) e tinham o hábito de dizer a

Gramática da fantasia

primeira coisa que lhes passasse pela cabeça. Enfim, o exibicionismo infantil também precisa ser levado em conta.

No decorrer da discussão, o mesmo menino foi um dos primeiros a reconhecer que o mundo está cheio de sofrimentos, manifestos ou ocultos, de coisas que não vão bem, e que, se realmente sentisse o dever de intervir em todos os cantos do mundo, não lhe sobraria muito tempo para dormir. Todavia, sua reação foi igualmente preciosa e me sugeriu que a história daquele homem boníssimo merecia um final mais aventuroso que patético, colocando-o na condição de quem triunfa sobre os inimigos, e não de alguém que deva sofrer continuamente. (Em verdade, a história terminou assim daquela vez: o homem que sai todas as noites para socorrer os outros é confundido com um ladrão e vai parar na cadeia, mas todos aqueles que ele socorrera acorrem de todas as partes do mundo para libertá-lo.)

Nunca se pode dizer de antemão que detalhe da história, que palavra, que passagem norteia a "decodificação".

Em outra ocasião, conto a história de um Pinóquio que enriquece juntando e vendendo a madeira que ele obtém mentindo muito, pois cada uma das mentiras faz o seu nariz crescer. Aberta a discussão sobre o final da história, todas as crianças presentes imaginam um desfecho punitivo. A equação "mentira-mal" faz parte de um sistema de valores que nem sequer se discute. Além disso, aquele Pinóquio foi identificado como "malandro", e a justiça quer que os malandros sejam punidos no final. Em suma, mesmo divertindo-se com a história, as crianças puniam o "Pinóquio Espertalhão" por acreditarem que estavam cumprindo o seu dever. Nenhuma delas tinha experiência suficiente com as coisas deste mundo para saber que certo tipo de ladrão, longe de acabar na cadeia, torna-se um cidadão de primeira classe e pilar da sociedade. As crianças não chegaram a um final em que Pinóquio se tornava rico e famoso, com monumento em praça pública.

A discussão fica mais animada e criativa quando se trata de encontrar o tipo certo de punição. Aqui volta a atuar a dupla obrigatória "mentira-verdade". As crianças decidem que todas as riquezas do vigarista viram fumaça assim que ele diz uma verdade. Mas, como Pinóquio

Gianni Rodari

é esperto e toma o cuidado de não dizer nenhuma verdade, é preciso encontrar um truque que o faça dizê-la. A procura do truque é bem divertida. A própria "verdade" — aceita como "valor" mas nada "engraçada" — torna-se verdadeira quando temperada com o "truque".

A essa altura, as crianças não estão mais no papel do justiceiro que deve vingar a verdade ofendida, mas sim no de um trapaceiro tentando "enganar" outro trapaceiro. A moralidade tradicional é só um álibi para a diversão delas, francamente "amoral". Parece uma lei: não existe criação autêntica sem certa ambiguidade.

As histórias "abertas" — isto é, inacabadas ou com vários finais à escolha — assumem a forma do problema imaginativo: dispõe-se de certos dados e deve-se decidir sobre a combinação deles que solucionará o problema. Nessa decisão entram cálculos de várias procedências: fantasiosos, baseados no puro movimento das imagens; morais, referentes ao conteúdo; emotivos, ligados à experiência; ideológicos, se vier à tona uma "mensagem" a ser esclarecida. Pode ser que comecemos discutindo o final da história e, à medida que avançamos, descubramos em vez dele um argumento que não mais diga respeito à história. Em minha opinião, devemos então ter a liberdade de abandoná-la ao seu destino e aceitar a sugestão imprevista.

42. Se o vovô virar um gato

Muitas vezes, em lugares diferentes, na Itália e no exterior, propus a grupos diversos de crianças a história incompleta de um velho aposentado que decide viver com os gatos porque se sente inútil numa casa onde todos, adultos e crianças, estão sempre muito ocupados para lhe dar atenção. Dito e feito, vai à praça da Argentina (estamos em Roma), passa por baixo da defensa que separa a rua do sítio arqueológico, reino de felinos abandonados, e transforma-se num belo gato cinza. No final de uma série esperada de aventuras, retorna à casa em que vivia. Mas como gato. É aceito e festejado: para ele, poltrona macia, carícias, leite e carne. Como avô, não valia nada; como gato, é o centro das atenções...

Nesse momento, pergunto às crianças: "Vocês querem que o vovô continue sendo gato ou querem que ele volte a ser o vovô de antes?"

Noventa e nove por cento das crianças preferem que o gato volte a ser o avô — em razão de justiça e afeto, ou talvez para se livrarem de uma inquietação desagradável, que talvez esconda um sentimento de culpa. Querem o avô reabilitado, dotado de seus direitos humanos, ressarcido. Essa é a regra.

Até hoje, registrei apenas duas exceções. Uma vez um menino argumentou decididamente que o avô deveria permanecer gato para sempre, "para castigar" os que o ofenderam. E uma menina de 5 anos — pequena pessimista — disse: "Deve continuar sendo gato, senão começa tudo de novo e ninguém mais olha para ele". É claro o significado dessas duas exceções: também a simpatia pelo avô.

Em seguida pergunto às crianças: "Mas como o gato vai voltar a ser vovô?"

As crianças, independentemente da latitude e da altitude, respondem sem hesitar: "Deve passar por baixo da defensa, mas na direção contrária".

A defensa: eis o instrumento mágico da metamorfose. Quando contei a história pela primeira vez, não me dei conta disso. Foram as crianças que me revelaram e me ensinaram a regra: "Quem passa por baixo da barra de aço em um sentido vira gato; no sentido oposto, vira gente".

Entretanto, com a defensa como fronteira, a oposição entre "passar por baixo" e "passar por cima" também seria possível, mas jamais alguém mencionou isso. Vê-se que o uso ritual da defensa deve respeitar regras muito precisas e não exagerar nas variações. "Passar por cima" é reservado aos gatos que vão e vêm sempre como gatos... Em verdade, uma vez uma criança objetou: "Como o gato, ao passar por baixo da defensa para voltar para casa, não se transformou no avô?" Rapidamente, outra criança rebateu: "Mas daquela vez ele não passou por baixo, mas sim por cima (da defensa)".

Depois disso, passa-se a suspeitar de que a retransformação do gato em avô não foi ditada unicamente por motivo de justiça, mas também — ou pelo menos esta hipótese se fortaleceu — por simetria da fantasia. Houve um evento mágico em uma direção: a imaginação, sem saber, esperava que o evento mágico oposto se cumprisse.

A satisfação do ouvinte, para ser completa, deve ter ao menos um fundamento lógico-formal, tanto quanto um fundamento moral. A solução final foi sugerida pela mente matemática e pelo coração.

Talvez resulte de um erro de análise a impressão que se tem às vezes de que é o coração que decide. Não pretendo com isso negar que o coração tenha *raisons* no sentido indicado por Pascal.[84] Mas a imaginação, como vimos, também tem as suas.

43. Brincadeiras no pinhal

10h30. Jorge (de 7 anos) e Roberta (de 5 anos e meio) saem do hotel para o parque que o circunda.

Roberta: Vamos pegar lagartixas?

Eu, que observo da janela, entendo muito bem o motivo dessa proposta: Roberta pega lagartixas com a mão; Jorge, ao contrário, sente nojo. Geralmente Jorge quer brincar de correr porque é mais rápido. Roberta responde e se propõe a desenhar, porque desenha melhor. A natureza é desleal em sua inocência.

Caminham lentamente. Mais que procurar lagartixas, procuram o acaso. Novalis disse: "Brincar é experimentar o acaso". Evitam os lugares abertos, permanecendo atrás da cozinha do hotel, onde o bosque de pinheiros é mais conhecido deles. Aproximam-se de uma pilha de lenha.

Roberta: A gente se escondia aqui.

O pretérito imperfeito é o sinal de que a espera acabou; o "tatear" está prestes a tomar forma de brincadeira. Esse tempo verbal estabelece a distância entre o mundo entendido como tal — como ele é — e o mundo transformado em símbolos para brincar.

Eles se escondem, dão a volta devagar em torno da pilha de lenha e retiram dela alguns pedaços. São de tamanho regular, manejáveis, cortados para a cozinha. Começam a levar alguns. Atrás da pilha há um caixa de papelão e um cesto grande. Apoderam-se deles. Jorge passa a comandar a brincadeira.

Jorge: A gente estava na selva caçando tigre.

O pinhal, que fazia parte da realidade cotidiana das férias, não lhes interessava como tal: aqui ele é reduzido, ou promovido, a "signo" com novo significado. Como disse Dewey[85], "quando as coisas se tornam signos e adquirem representatividade para ocupar o lugar de outras, a brincadeira se transforma de mera exuberância física em atividade que conta com um fator mental".

Eles caminham para uma rocha que aflora do solo. Cesto e caixa tornam-se cabanas (persiste a atribuição de papéis aos objetos). Recolhem gravetos para a fogueira.

A brincadeira configura-se aqui como processo aberto: desenvolve-se pela descoberta e pela invenção de analogias. A palavra "selva" sugere a palavra "cabanas". Mas então a experiência intervém: as crianças brincaram muitas vezes de cabana em casa e inserem essa brincadeira na da selva.

Roberta: A gente acendia o fogo.
Jorge: E ia dormir.

Eles se afastam, cada um para sua "cabana". Agacham-se lá por poucos segundos.

Roberta: Agora era de manhã, e eu procurava galinhas para guardar.
Jorge: Não, a galinhas são para o almoço.

Perambulam por ali, procurando pinhas pelo chão. São 11h15.

Antes de mais nada, notemos que a brincadeira durou um dia. O tempo das crianças não é um tempo real, mas um exercício com o tempo, uma recapitulação da experiência com o tempo: é de noite, dorme-se; é de manhã, levanta-se. Catar pinhas em um pinhal teria sido a atividade mais simples a princípio. No entanto, as pinhas foram ignoradas até o momento em que, extraídas do seu contexto botânico, receberam a função de "galinhas", ilustrando-se com um novo significado.

Gramática da fantasia

No eixo da seleção verbal, a justaposição pode ter ocorrido por causa do *-inha* em "pinha" e "galinha". A imaginação funciona na brincadeira sob as mesmas regras que em qualquer outra atividade criativa.

11h20. Passaram-se apenas cinco minutos da primeira vez em que foram "dormir" e já vão "dormir" de novo.

Nova interferência: sobre o "eixo da brincadeira da selva" projeta-se outra brincadeira antiga, "papai e mamãe". Esse é o significado parcialmente inconsciente do "ir dormir".

Jorge: Quero sentir o silêncio.

Jorge pronuncia essa frase com uma entonação particular — provavelmente a mesma da sua professora na escola, quando exige a "brincadeira do silêncio". Perceba o contínuo vaivém entre a esfera da experiência e a esfera da invenção.

Roberta: Cocoricó! Agora a gente acordava.

No instante da dramatização feita por Jorge (no "papel da professora"), a menina responde "fazendo o galo". Com as duas frases as crianças se transformaram em símbolos: Jorge como a professora, Roberta como o galo.

E se passa o segundo dia. Por que tanto tempo? Talvez para aumentar a distância entre a brincadeira, a criação e o mundo dos hábitos. Para "ficar mais longe"… "mais dentro" da brincadeira.

Jorge: Agora, à caça!

Levantam-se; vagueiam em silêncio por instantes. Voltam para a pilha de lenha.

11h23.

Roberta: Eu bebia uma cerveja.
Jorge: Eu bebia um aperitivo.

Subitamente, a pilha de lenha torna-se um bar. Não está claro o motivo desse desvio da brincadeira; talvez o esgotamento do tema. Mas é provável que, tendo comido muito rápido o desjejum para brincar, as crianças sintam necessidade de se alimentar, pelo menos simbolicamente. Como caçadores, é óbvio que têm o direito a bebidas proibidas para as crianças.

Jorge tem um cinturão com duas pistolas. Tira uma delas e oferece a Roberta. No início da brincadeira, não pensara em fazer isso, e Roberta era orgulhosa demais para pedir. Agora, depois de terem dormido juntos duas vezes, a oferta tem o sentido de uma declaração: é Jorge quem declara Roberta sua parceira na brincadeira. Apenas isso?...

Roberta (apontando a pistola para a cabeça): Eu me matava.

Tudo isso dura poucos segundos, como num fulminante drama de amor. Deve-se realmente consultar um psicólogo a esse respeito.

Roberta: Eu virava uma múmia e você fugia.

A múmia, pelo que me consta, é uma lembrança da televisão.
11h25. Recolocam a lenha na pilha, como se tivessem acabado de brincar. Jorge é o tipo de criança que aprendeu a "arrumar as coisas". Rapidamente surge um ritmo no novo trabalho: Jorge recolhe os pedaços de lenha, Roberta joga-os sobre a pilha.

Roberta: Eu que guardava.

Esse uso do imperfeito indica que também a ação de recolher e repor os pedaços de lenha sobre a pilha se transformou em brincadeira, em "símbolo" de si mesma. "Eu que guardo" seria trabalho, fadiga; "eu que guardava" é assumir um papel.
11h35. Ao lado da pilha de lenha há uma balança. As crianças brincam de se pesar. Não conseguem. A avó de Jorge intervém como "especialista"; depois vai embora.

Gramática da fantasia

11h40. Roberta se senta na caixa e propõe "brincar de palhaço". Finge cair, rola no chão. Jorge não aceita a proposta e diz: "Vamos fazer um escorregador".

Encostam a caixa na rocha, obtendo um "escorregador" rudimentar, sobre o qual se deixam cair diversas vezes.

11h43. A caixa transforma-se em barco. Os dois estão juntos dentro dele. Navegam entre a pilha de lenha e a rocha.

Jorge: Aqui tem uma ilhazinha. Vamos desembarcar. Vamos amarrar o barco, senão ele escapa.

Escalam a pedra.

Está em curso uma nova transformação das coisas. A rocha está se tornando uma ilha, e o pinhal não é mais selva, mas mar.

Resolvem pegar o cesto, pois assim cada um tem o seu barco.

11h50. Chegam navegando para perto da balança, que é outra ilhota.

Roberta: Agora era outro dia.

Dessa vez não "dormiram" para passar de um dia ao outro. Bastou declarar. Em verdade, o novo salto no tempo serve para destacar o contraste entre a brincadeira da selva e a brincadeira do mar.

Eles arrastam os barcos cantando. Voltam a navegar. A caixa de Jorge tomba de lado.

Roberta: O mar ficava bravo.

A queda de Jorge foi involuntária: imediatamente o imperfeito utiliza o erro de modo criativo, interpretando-o na lógica da brincadeira.

Jorge tomba outras vezes. Para esquecer sua falta de jeito, ele a multiplica em uma série de palhaçadas. Roberta ri. Jorge agora "faz o palhaço", e o riso de Roberta o compensa amplamente.

Haveria em sua exibição um sentido de fazer a corte, de "dança nupcial"?

Jorge: Terra! Terra!
Roberta: Viva!

Eles desembarcam perto de um pinheiro.

Jorge: Paz e bem!

Jorge vive em uma região onde os franciscanos costumam recolher donativos. Talvez ele mesmo tenha fantasiado às vezes ser frade. Não é possível reconstituir o processo dessa nova interferência. Os frades fazem essa saudação ao entrar nas casas... A chegada ao pinheiro deve ter sido para Jorge alguma coisa como "chegar em casa"... Na brincadeira, como no sonho, a imaginação condensa as imagens na velocidade da luz.

Pode-se notar também que a aparição das "ilhas" interpreta consequentemente a frase inicial da manhã: "A gente se escondia aqui". As crianças estão realmente "escondidas", longe de todos, cercadas pelo mar.

11h57. Jorge percebe que eles perderam as pistolas. Não sabem onde procurá-las. Para eles, o minuto anterior se aprofunda num passado que não sabem reconstituir. Da janela, aponto para as duas pistolas; vão buscá-las sem se maravilhar com a minha onisciência.

12h. Permutam os barcos. Roberta agora comanda a caixa. Coloca-a em pé. Um dos lados dela se abre como uma porta. A associação é tão convidativa que o barco se transforma em casa. Agora eles vão caçar coelhos.

Os "coelhos" são as mesmas pinhas que antes eram "galinhas". A brincadeira nunca as considera pinhas.

12h05. Juntam as pinhas na caixa.

Roberta: Vou ficar para sempre com a minha cabana.
Jorge: Eu descanso.

O futuro e o presente dos dois verbos marcam o distanciamento da brincadeira: uma espécie de pausa para repousar.

Quando retomada, a brincadeira parece se bifurcar. Jorge atira em alguns coelhos; Roberta deve buscá-los, mas acaba procurando outras coisas para a sua "cabana".

Roberta: Eu tinha uma criação de galinhas.
Jorge (que voltou a navegar no cesto): Eu vinha visitar você porque a gente era amigo.

Por mais alguns minutos, a brincadeira parece acabar de cansaço. Jorge rompe a continuidade decididamente, indo ao balanço e chamando Roberta para empurrá-lo. O balanço os ocupa, com poucas variações, até a hora do almoço.

O que mencionamos aqui — como se esboça um motivo em um instrumento sem tocá-lo — é uma "leitura" da brincadeira como "história em andamento". Não sou estenógrafo. Na época em que fiz essas observações, eu não tinha gravador e só podia anotar as observações em um caderno. Deveria tê-las discutido com um psicólogo etc. etc. Mas, para os objetivos da presente microgramática da fantasia, as páginas anteriores devem bastar para sugerir que, mesmo no "eixo da brincadeira", como num texto livre, convergem as contribuições e as solicitações dos "eixos" que individualizamos ao analisar a história de Pedrinho e a massinha: o da seleção verbal, o da experiência, o do inconsciente (a brincadeira, breve e terrível, da pistola…), o da inserção de valores na brincadeira ("a ordem", no caso de Jorge, de pôr os pedaços de lenha no lugar).

Para explicar plenamente uma brincadeira, seria preciso reconstituir passo a passo a simbolização dos objetos, as modificações e as transformações, os "vaivéns do significado". Para tanto, o instrumento psicológico, certamente precioso, revela-se insuficiente. Não será a psicologia, mas sim a linguística ou a semiótica, que nos explicará como a ação de jogar lenha na pilha, vivida no presente, requer o verbo no pretérito imperfeito, como certas analogias se impõem entre um e outro objeto na brincadeira, ora pela forma, ora pelo significado.

Temos muitas "teorias" inteligentes sobre a brincadeira, mas ainda não temos uma "fenomenologia" da imaginação que lhe dá vida.

44. Imaginação, criatividade, escola

O verbete *intuition* da *Encyclopaedia Britannica* cita Kant, Spinoza e Bergson, mas não Benedetto Croce.[86] Bem, se não é a mesma coisa que falar da relatividade sem citar Einstein, falta pouco. Pobre dom Benedetto. Eu estava com tanta pressa de me solidarizar com ele que coloquei essa informação arbitrariamente no início deste capítulo. E espero, com essa simples operação, ter conquistado o direito de prosseguir da maneira o menos solene e sistemática possível.

Nos dicionários filosóficos e nas enciclopédias que tenho à mão, em casa e no escritório, observarei primeiro como as palavras "imaginação" e "fantasia" pertenceram por muito tempo apenas à história da filosofia.

A jovem psicologia começou a ocupar-se delas há poucas décadas. Não é de admirar, portanto, que a *imaginação* ainda seja tratada nas nossas escolas como parente pobre, em comparação com a *atenção* e a *memória*, já que a escuta paciente e a memória escrupulosa constituem as características do aluno-modelo — que, em geral, é o mais conveniente e mais dócil. O aluno Viga, caro Giusti.[87]

Os antigos, de Aristóteles a Santo Agostinho, não dispunham em suas línguas de duas palavras para distinguir "imaginação" de "fantasia" e atribuir-lhes funções diferentes, das quais nem Bacon nem Descartes suspeitaram, apesar de sua erudição. Foi preciso chegar ao século XVII — a Wolff — para encontrar uma primeira distinção entre a faculdade de perceber coisas sensíveis ausentes e a *facultas fingendi*[88], que consiste em "produzir, mediante a divisão e a composição das imagens, a imagem de uma coisa nunca perceptível aos sentidos". Nessa linha, conta-me o meu Abbagnano, trabalharam Kant, na catalogação

Gramática da fantasia

de uma "imaginação reprodutiva" e uma "imaginação produtiva", e Fichte, que privilegiou enormemente as funções da segunda.[89]

Contudo, devemos a Hegel[90] a implantação definitiva da distinção entre "imaginação" e "fantasia". Ambas são, para ele, determinantes da inteligência — todavia, a inteligência como forma de imaginação é simplesmente reprodutiva, enquanto como fantasia é, ao contrário, criativa. Assim, nitidamente separados e hierarquizados, os dois termos servem muito bem para sancionar certa diferença genética, quase fisiológica, entre o poeta (o artista) capaz de usar a imaginação criativamente e o homem comum, o simples trabalhador, capaz de usar a imaginação apenas com objetivos práticos, como imaginar uma cama, quando está cansado, e uma mesa, quando sente fome. Fantasia no grupo A, imaginação no grupo B...

Cabe aos filósofos teorizar sobre o fato consumado, caracterizado por Marx e Engels em *A ideologia alemã*: "A concentração exclusiva do talento artístico em alguns indivíduos e sua asfixia na grande massa são consequência da divisão do trabalho"[91].

Eis o pilar da sociedade. E nele se encaixa à perfeição a teorização a respeito da diferença qualitativa entre o homem comum e o artista (burguês).

Hoje, nem a filosofia nem a psicologia conseguem ver diferenças radicais entre imaginação e fantasia. Usar os dois termos como sinônimos não é mais pecado mortal. E por isso devemos agradecer, entre outros, a Edmund Husserl, fenomenólogo, e também a Jean-Paul Sartre[92], em cujo livro *A imaginação* lê-se esta bela frase, que não me canso de repetir: "A imagem é um ato, não uma coisa".

Em todo caso, a distinção pode estar entre fantasia e devaneio, como nos diz Elémire Zolla[93] em sua *Storia del fantasticare* [*História da fantasia*]: a primeira funciona com a realidade e com base nela; o segundo foge da realidade bem rápido. Entretanto, 1) Zolla atribui mais ao "devaneio" que à "fantasia" grande parte da arte moderna e contemporânea, e portanto o devaneio deve ser tomado em pequenas doses; 2) em sua obra *Esperienza prelogica* [*Experiência pré-lógica*], Edward Tauber e Maurice R. Green demonstram que nem mesmo o

Gianni Rodari

"devaneio" é de jogar fora, pois recorre às mais inacessíveis fontes da experiência interior, como um refinadíssimo espião, o que pode ser útil.

Um bom manual de psicologia (eu uso o *Sommario di psicologia* [*Sumário de psicologia*], de Gardner Murphy, e gosto da obra) é capaz de dar hoje em dia mais informações sobre a imaginação que toda a história da filosofia até Benedetto Croce. Depois, apareceram também Bertrand Russell[94] (*A análise da mente*) e John Dewey (*Como pensamos*). Talvez também sejam proveitosos *A psicologia da arte*, de Vigótsky, e *Para uma psicologia da arte*, de Rudolf Arnheim[95]. Naturalmente, a fim de observar de perto o mundo infantil, deve-se ler ao menos Piaget, Wallon e Bruner; seja qual for a obra desses três, não há perigo de errar. E, se eles voam muito alto, recupere o equilíbrio com Célestin Freinet...

Já a leitura do diálogo *Della invenzione* [*Sobre a invenção*], de Alessandro Manzoni, infelizmente não é muito produtiva. O título promete, mas o conteúdo se parece com o das obras de Antonio Rosmini, e não contém uma frase que mereça ser lembrada.

Bem ao contrário é esta pequena joia: *Imaginação e criação na infância*, de Vigótsky. O livro, aos meus olhos, embora bem antigo, tem dois grandes méritos: primeiro, descreve a imaginação, com clareza e simplicidade, como o modo de operação da mente humana; segundo, reconhece que todos os seres humanos — e não uns poucos privilegiados (os artistas) ou uns poucos selecionados (por meio de testes financiados por alguma fundação) — têm em comum a aptidão para a criatividade, cujas diferenças mostram ser sobretudo produto de fatores sociais e culturais.

A função criativa da imaginação pertence à pessoa comum, ao cientista, ao técnico. É essencial tanto para descobertas científicas quanto para o nascimento de uma obra de arte; é realmente condição necessária da vida cotidiana...

Os germes da imaginação criativa, insiste Vigótsky, manifestam-se nas brincadeiras de personificar animais, e tanto mais na infância. A brincadeira não é uma simples recordação de impressões vividas, mas uma reelaboração criativa delas, um processo em que a criança associa

Gramática da fantasia

os dados da experiência para construir uma nova realidade, correspondente à sua curiosidade e aos seis anseios. Todavia, exatamente porque a imaginação se constrói apenas com materiais colhidos na realidade (e por isso pode ser maior no adulto), é preciso que a criança, para alimentar a imaginação e aplicá-la a tarefas pertinentes, para reforçar sua estrutura e ampliar seus horizontes, cresça num ambiente rico de impulsos e estímulos em todos os sentidos.

A presente "gramática da fantasia" — este me parece ser o lugar para esclarecer tudo definitivamente — não é nem uma teoria da imaginação infantil (seriam necessárias mais coisas...) nem uma coleção de receitas, nem um compêndio de histórias, mas, sustento, uma proposta capaz de conviver com tantas outras que procuram enriquecer com estímulos o ambiente (casa ou escola, não importa) em que as crianças crescem.

A mente é uma só. Sua criatividade deve ser cultivada em todas as direções. Os contos populares (ouvidos ou inventados) não são "tudo" que atende à criança. O uso livre de todas as possibilidades da língua não representa senão uma das direções em que a criatividade pode expandir-se. Mas *tout se tient*[96], como dizem os franceses.

A imaginação da criança, estimulada a inventar palavras, aplica seus instrumentos a todos os domínios da experiência que provocarão sua intervenção criativa. Os contos populares são úteis para a matemática como a matemática é útil para os contos. São úteis para a poesia, a música, a utopia, a política — em suma, a todo ser humano, não só ao contador de histórias. Servem exatamente porque, na aparência, não servem para nada — como a poesia e a música, como o teatro e o esporte (se não se tornarem um negócio). São úteis para o ser humano completo. Se uma sociedade baseada no mito da produtividade (e na realidade do lucro) precisa de meias pessoas — executores fiéis, reprodutores diligentes, instrumentos dóceis sem vontade própria — é sinal de que é malfeita e urge mudá-la. Para mudá-la, são necessários seres criativos, que saibam usar a imaginação.

Esta sociedade, é claro, também procura pessoas criativas para seus propósitos. Cropley[97] escreve com franqueza, em seu livro *La*

Gianni Rodari

creatività [*A criatividade*], que o estudo do pensamento divergente se insere no quadro da "utilização máxima de todos os recursos intelectuais dos povos", sendo fundamental "para manter as próprias posições no mundo". Muitíssimo obrigado. "Procuram-se pessoas criativas" para que o mundo permaneça como tal. Não, senhor Cropley: ao contrário, desenvolvamos a criatividade de todos para mudar o mundo.

É preciso saber um pouco mais a respeito dessa "criatividade". Encontra-se um bom esclarecimento do conceito — depois de ter consultado proveitosamente *L'immaginazione creatrice* [*A imaginação criadora*], de T. Ribot[98] — no já citado livro *Educazione e creatività*, de Marta Fattori, no qual recentes pesquisas estadunidenses são exemplificadas, comentadas e, quando cabível, criticadas. (De qualquer modo, essas são as primeiras pesquisas verdadeiras sobre o assunto, e não me venham dizer que isso depende só do fato de os americanos serem mais ricos que os outros povos: em muitas coisas são também mais atentos e mais preparados. E trabalham bem.)

"Criatividade" é sinônimo de "pensamento divergente", isto é, capaz de romper continuamente os esquemas da experiência. É "criativa" a mente que sempre trabalha, sempre faz perguntas para descobrir problemas onde os outros encontram respostas satisfatórias, a mente que se vê à vontade em situações variáveis nas quais outros farejam apenas perigos, que é capaz julgar com autonomia e independência (até mesmo o pai, o professor e a sociedade), que rejeita o convencionado, que manipula objetos e conceitos sem ser se deixar inibir pelo conformismo. Todas essas qualidades manifestam-se no processo criativo. E esse processo — ouçam, ouçam! — sempre tem um caráter lúdico, mesmo que a "matemática séria" esteja em jogo... (E aqui devemos lembrar que o meu amigo professor Vittorio Checcucci, da Universidade de Pisa, diz a mesma coisa em seu livreto *Creatività e matematica*, publicado por Alfredo Nesi nos seus *Quaderni di Corea*[99] — ele diz e demonstra, em muitas experimentações com jogos matemáticos em calculadoras eletrônicas.)

Também Marta Fattori afirma, em última análise, que todos podem ser "criativos", desde que não vivam numa sociedade repressiva,

Gramática da fantasia

numa família repressiva, numa escola repressiva... Uma educação pela "criatividade" é possível.

Os professores do Movimento di Cooperazione Educativa [Movimento de Cooperação Educativa] referem-se a essas conclusões numa publicação intitulada *La creatività nell'espressione* [*A criatividade na expressão*], em que expõem algumas de suas pesquisas, as quais, no todo, me parecem compiladas segundo um lema tácito: "Organizamos uma escola que favoreça o cultivo e o desenvolvimento em todas as crianças daquelas qualidades e tendências apontadas como características dos tipos 'criativos'".

A conquista desses professores me parece particularmente importante — e não foi feita por uma pessoa, mas por um movimento militante, o mais avançado da escola italiana. Quando esses educadores falam de "criatividade", querem se referir a toda a escola, e não apenas a determinadas "matérias".

Cito:

No passado, falava-se de criatividade quase sempre em referência às chamadas atividades expressivas e lúdicas, quase em contraposição a outras experiências, tais como a conceituação matemático-científica, a investigação ambiental, a pesquisa histórico-geográfica [...]. O fato de que até mesmo pessoas empenhadas e bem-dispostas releguem o papel da criatividade a momentos de menor empenho talvez seja a melhor prova de que o sistema desumano em que vivemos tem entre seus principais objetivos a repressão do potencial criativo da humanidade.

Cito ainda:

[...] a formação matemática não deve avançar na trilha forçada da habilidade técnica e da eficiência, mas partir do reconhecimento de que a conceituação é uma função livre e criativa da nossa mente [...]. Ainda que se trate de locais educativos, constatou-se que a característica fundamental do ambiente escolar deveria ser a sua capacidade de transformação, ou seja, a possibilidade de o usuário adotar diante dele uma atitude não mais de aceitação passiva, mas de intervenção ativa e criativa no seu modo de ser [...].

Para dar um passo atrás (pode ser elegante, de vez em quando, dar um ou dois), gostaria de observar que, nos usos feitos aí dos termos "criativo" e "criatividade", não se percebem nem ao menos os ecos de antigas ou recentes tentativas — ainda que louváveis mas unilaterais — de dar à atividade educativa um sentido e um caráter diversos daqueles que as instituições escolares têm assumido, em conformidade com o papel social que aceitavam.

Schiller[100] (*tanto nomini...* e não preciso dizer mais nada)[101] foi o primeiro a falar de uma "educação estética" (veja suas *Cartas sobre a educação estética da humanidade*): "O homem — escreve o grande Friedrich — brinca unicamente quando é homem no sentido pleno da palavra, e é plenamente homem apenas quando brinca". Essa afirmação decidida o levou direto à ideia de um "estado estético", ao qual reservava o dever de "dar a liberdade mediante a liberdade". Talvez fosse uma ideia errada; no entanto, nós, italianos, infelizmente tivemos o "Estado ético"[102], que nos custou sangue e lágrimas.

Para encontrar ideias igualmente radicais em sentido análogo, é preciso saltar quase 200 anos, até Herbert Read[103] e seu famoso *A educação pela arte*. Sua tese central é a de que a atividade artística, e só ela, possibilita e desenvolve na criança uma forma de experiência integral. O autor intui que, para desenvolver o pensamento lógico, não é necessário sacrificar a imaginação, muito pelo contrário. E certamente seu trabalho não deixou de ter grande influência no campo do conhecimento e da valorização do desenho infantil.

Seu erro, falando dele *a posteriori*, foi o de ter considerado a imaginação apenas em função da arte. Dewey foi mais certeiro quando escreveu:

A função própria da imaginação é a visão de realidades e possibilidades que não podem se manifestar nas condições existentes da percepção sensorial. Seu objetivo é penetrar claramente no remoto, no

Gramática da fantasia

ausente, no obscuro. Não só a história, a literatura, a geografia, os princípios das ciências, mas também a geometria e a aritmética contêm uma série de temas sobre os quais a imaginação deve atuar se quiserem ser compreendidas.[104]

Interrompo aqui a citação porque, infelizmente, sua continuação não é tão bonita, o que é uma pena.

A criatividade em primeiro lugar. E o professor?

O professor — respondem os do Movimento de Cooperação Educativa — transforma-se em "animador", um promotor de criatividade. Ele não é mais aquele que transmite um conhecimento bem embalado, um bocado por dia, nem é mais um domador de potros, um amestrador de focas. É um adulto que está com crianças para exprimir o melhor de si, desenvolver até em si mesmo os hábitos da criação, da imaginação, do compromisso construtivo por meio de uma série de atividades que, afinal, recebem consideração semelhante: as de produção pictórica, plástica, dramática, musical, afetiva, moral (valores, normas de convivência), cognitiva (científica, linguística, sociológica), técnico-construtiva, lúdica, "nenhuma das quais se destina a entretenimento ou distração, em comparação com outras consideradas mais dignas".

Nenhuma hierarquia de temas. E, no fundo, um só tema: a realidade, abordada de todos os pontos de vista, começando pela realidade primeira, a comunidade escolar, o estar junto, o modo de ser e trabalhar em conjunto. Em uma escola desse tipo, a criança não é mais "consumidora" de cultura e de valores, mas criadora e produtora de valores e cultura.

Não são apenas palavras: são reflexões que nascem de uma prática da vida escolar, de uma luta político-cultural, do empenho e da experimentação de anos. Não são receitas: é a conquista de uma nova posição, de um papel diferente. E é claro que, a esta altura, infinitos problemas recaem sobre esses professores, esperando ser solucionados do zero. Porém, entre uma escola morta e uma escola viva, a circunstância atenuante mais autêntica é precisamente esta: a escola para "consumidores" está morta, e fingir que está viva não prolonga

Gianni Rodari

sua putrefação (à vista de todos). Uma escola viva e nova só pode ser uma escola para "criadores". É como dizer que não se deve estar nela apenas na condição de "aluno" e de "professor", mas sim de pessoa inteira. "Começa a se fazer sentir a tendência para um desenvolvimento unilateral do indivíduo" — disse Marx em *A miséria da filosofia*.

É verdade que foi há muitos anos que ele disse "começa"... Ao ver as coisas em primeira mão, pode-se passar por sonhador, porque o tempo da história nunca é o do indivíduo e as coisas não amadurecem em estações fixas, como os pêssegos. Marx não tinha devaneios, mas sim uma imaginação muito intensa.

E não nego que uma boa dose de imaginação seja necessária hoje para ver a escola além do que ela é, para imaginar o colapso das paredes desse "reformatório ocasional".

Contudo, também é preciso acreditar que o mundo possa avançar e se tornar mais humano. O apocalipse está na moda. As classes sociais que veem o ocaso do seu domínio vivem esse declínio como uma catástrofe universal, interpretando-o nos mapas ecológicos do mesmo modo que no ano 1000 os astrólogos interpretavam as estrelas.

Os idosos são egocêntricos. Giacomo Leopardi, pessimista de olhos abertos e cérebro alerta, já havia compreendido isso muito bem quando reproduziu e comentou em seu *Zibaldone* [*Miscelânea*], num domingo de 1827, uma carta antiga para a época e já devotada à queixa de que "as estações não são mais o que eram".

Mas leia você mesmo:

"Ele está convicto de que a antiga ordem das estações está subvertendo-se. Aqui na Itália diz-se e queixa-se de que as meias-estações não existem mais, e, nessa perda de limite, não resta dúvida de que o frio ganha terreno. Ouvi meu pai dizer que em sua juventude, em Roma, na manhã da Páscoa da Ressurreição, todos se vestiam com roupas leves. Para aqueles que não precisam usar um camisão agora, recomendo que não se desfaçam das mínimas coisas que usavam no coração do inverno." (Magalotti, *Lettere familiari* [*Cartas familiares*], parte I, carta 28, Belmonte, 9 de fevereiro de 1683, 144 anos atrás!) Se os partidários do

Gramática da fantasia

atual resfriamento progressivo do globo, como o intrépido doutor Paoli (nos seus belos e doutíssimos estudos sobre o movimento molecular dos sólidos), não têm nenhuma outra prova para apresentar que não o testemunho dos nossos idosos, os quais afirmam a mesmíssima coisa que Magalotti, alegando o mesmo pretenso hábito e localizando-o no mesmo período do ano, percebe-se por isso que eles não produziriam grande efeito com tal argumento. O velho *laudator temporis acti se puero*[105], insatisfeito com as coisas humanas, quer também que as coisas naturais tenham sido melhores na sua infância e juventude do que depois. A razão é clara, ou seja, é assim que lhe pareciam na época: o frio o aborrecia e o fazia senti-lo bem menos etc. etc.

Com um pouco de prática, conseguimos receber lições de otimismo até com Giacomo Leopardi.

45. Fichas

NOVALIS

Novalis, citado no Capítulo 1, começou a publicar seus fragmentos em 1798, aos 26 anos. Em sua primeira antologia, intitulada *Blütenstaub* (*Pólen*), encontra-se este pensamento: "A arte de escrever livros ainda não foi descoberta. Entretanto, está prestes a ser encontrada. Fragmentos desse tipo são uma espécie de semente literária. Neles certamente se encontram muitos grãos infecundos — mas o que isso importa se alguns deles brotam?" (Cito trecho do livro *Novalis: Frammenti* [*Fragmentos*], organizado G. Prezzolini, da editora Carabba, 1922. Isso para não me responsabilizar por traduzir diretamente do meu pequeno *Novalis: Dichtungen* [*Poemas*], da editora Reclam, de Leipzig). O esclarecimento sobre a fantástica a que me referi provém dos *Philosophische und andere Fragmente* [*Fragmentos filosóficos e outros*], e no original soa assim: "Hätten wir auch eine Phantastik wie eine Logik, so wäre die Erfindungskunst erfunden"[106].

Dos *Fragmentos* de Novalis partem lampejos a muitos destinatários: ao linguista, "cada pessoa tem uma língua própria"; ao político, "tudo que é prático é econômico"; ao psicanalista, "as doenças devem ser consideradas loucuras físicas e em parte ideias fixas"...

Novalis, a mais pura voz do romantismo, o místico do "idealismo mágico", era capaz de captar a realidade e, na realidade, os problemas que seus contemporâneos não conseguiam enxergar.

Em uma boa seleção dos *Fragmentos literários* organizada por Giusepina Calzecchio-Onesti (texto bilingue), lê-se esta reflexão: "Toda poesia interrompe o estado habitual, a cotidianidade da vida — nisso, parecida com um sonho — para nos renovar, manter sempre vivo em nós o próprio sentido da vida". Para entendê-la bem, a meu ver, é preciso colocá-la ao lado de outra reflexão que define a poética romântica como a "arte de tornar estranho um objeto conhecido e atraente". Lidos com franqueza, os dois fragmentos contêm talvez o germe do conceito de "distanciamento" do objeto, o qual, segundo Chklóvsky e os formalistas russos dos anos 1920, é essencial para o processo artístico.

A DUPLA ARTICULAÇÃO

Nas várias brincadeiras com a palavra "pedra" (veja no Capítulo 2), será fácil reconhecer — comparando, por exemplo, com os *Elementos de linguística geral,* de André Martinet — exercícios sobre a "primeira articulação" da linguagem (na qual cada unidade tem um sentido e uma forma fônica) e exercícios sobre a "segunda articulação" (na qual cada palavra é analisável em uma sucessão de unidades, em que cada uma contribui para distingui-la das outras: "pedra", por exemplo, nas cinco unidades "p-e-d-r-a"). "A originalidade do pensamento", escreve Martinet, "não se manifestará senão numa disposição inesperada das unidades" (de primeira articulação): com o exercício, essa "disposição inesperada" é provocada com arte. A "segunda articulação", convenientemente analisada, leva à recuperação das palavras recusadas.

Martinet também fala da "pressão fônica" e da "pressão semântica" a que cada enunciado é submetido pelas unidades vizinhas na cadeia falada e por aquelas que "formam com ela um sistema, ou seja, que poderiam ter figurado naquele conjunto e foram descartadas para se dizer precisamente o que se queria dizer". No trabalho de estimular a imaginação, parece-me evidente a função de uma atividade que, diante de cada enunciado, não rejeita as várias "pressões", mas as reconstrói e as utiliza.

"A PALAVRA QUE BRINCA"

Para aprofundar os Capítulos 2, 4, 9 e 36, mas também aqueles em que a palavra (aqui com minúscula) aparece em primeiro plano, preparei-me para citar algumas leituras pertinentes, com um pouco de linguística (Jakobson, Martinet, De Mauro) e de semiótica (Umberto Eco).

Mas não quero citar nomes; só revelariam inevitavelmente diletantismo, ecletismo e confusão. Sou um simples leitor, não um especialista. Como tantas outras pessoas, descobri a etnografia e a etnologia quando Pavese me fez descobri-las, ao criar uma famosa coleção de livros para a editora Einaudi[107]. Descobri a linguística alguns anos depois de ter abandonado a universidade, onde consegui — certamente com sua ajuda — nem suspeitar da existência dela. Ao menos uma coisa aprendi: quando se trabalha com crianças e se quer entender o que fazem e dizem, a pedagogia não basta e a psicologia não chega a interpretar por completo as manifestações delas. É preciso estudar mais, apropriar-se de outros instrumentos de análise e medição. E fazê-lo como autodidata não prejudica — ao contrário.

Não me importo de confessar a pobreza da minha formação cultural (que não me permite, portanto, escrever um "ensaio" sobre a imaginação infantil, embora me deixe livre para falar da minha experiência). Também não me importo de abrir mão de uma bibliografia polpuda para justificar muitas coisas que eu disse, as quais poderão parecer improvisações ou invencionices. Sinto muito por ser ignorante, não por causar má impressão. Eu diria que é uma obrigação saber causar má impressão em certas ocasiões.

Apresentada essa premissa, declaro aqui uma dívida significativa para com o livro *As formas do conteúdo*, de Umberto Eco, e de modo especial os ensaios "O percurso do sentido" e "Semântica da metáfora". Eu os li, fiz anotações e me esqueci de tudo, mas estou certo de que alguma coisa do seu entusiasmo intelectual me ajudou imensamente.

O ensaio "Geração de mensagens estéticas numa língua edênica" serve muito bem de exemplo de uma tendência da época para diminuir a distância entre arte e ciência, entre a matemática e o jogo, entre imaginação e pensamento lógico. Ele pode ser lido como um conto e se transformar em um fascinante brinquedo para as crianças. E Eco não se ofenderá se eu aconselhar a meus amigos professores da educação fundamental, depois de terem explorado todas as suas possibilidades (que não são poucas), a tentar introduzir o brinquedo, por exemplo, num 5º ano. Silvio Ceccato, em *Il maestro inverosimile* [*O professor*

improvável], já demonstrou que não é preciso ter medo de falar de "coisas difíceis" às crianças: com elas é mais fácil errar subestimando-
-as do que superestimando-as.

SOBRE PENSAR POR DUPLAS

(Veja no Capítulo 4.)

É interessante notar como Wallon (no citado *As origens do pensamento na criança*), dialogando com crianças, descobre também "duplas por assonância". Por exemplo: "O que é duro?" Resposta: "O muro". Ou então: "*Comment ça se fait qu'il est le noir?*" Resposta: "*Parce que c'est le soir*". E isso, ou seja, a função cognitiva da rima, justifica o prazer que as crianças encontram nela, muito maior que o efeito gratificante de repetir o som.[108]

Uspénsky[109], no seu ensaio "Sulla semiotica dell'arte [Sobre a semiótica da arte] — capítulo da citada tradução italiana da coletânea de ensaios *I sistemi di segui e lo strutturalismo soviético* [*O sistema de signos e o estruturalismo soviético*] —, retoma o argumento no âmbito da criação artística: "A afinidade fonética obriga o poeta a procurar nexos semânticos também entre as palavras: é assim que a fonética gera o pensamento".

O DISTANCIAMENTO

Quanto ao conceito de "distanciamento", veja os ensaios de Víktor Chklóvsky "La struttura della novella e dei romanzo" [A estrutura da novela e do romance] e "L'arte come procedimento" [A arte como procedimento] no livro *I formalisti russi* [*Os formalistas russos*]. Cito de um e de outro: "O objetivo da arte é transmitir a impressão do objeto como visão, não reconhecimento [...]"; "O processo da arte é o processo de distanciamento do objeto [...]"; "Para fazer de um objeto um fato artístico, é necessário extraí-lo do conjunto de fatos da vida [...] sacudir o objeto [...] extrair o objeto da série de associações habituais".

A "PERCEPÇÃO SUBLIMINAR"

A atração fônica entre "preso" e "aceso" (veja no Capítulo 5) pode ter ocorrido no inconsciente, nível chamado de "percepções subliminares"

Gianni Rodari

por Tauber e Green em sua *Esperienza prelogica* [*Experiência pré-lógica*]. Escrevem eles: "As pessoas muito criativas recebem com mais disponibilidade o material da percepção subliminar". E dão o exemplo do químico alemão August Kekulé, que teve um sonho com uma serpente com a própria cauda na boca e o interpretou como premonição da sua tentativa de conceituar certos problemas estruturais da química. Em suma, primeiro ele sonhou com a serpente que mordia a cauda, depois teve a ideia do "anel do benzeno". Na realidade, explicam os autores, o trabalho onírico não *cria* um discurso, mas utiliza "percepções subliminares", verbais ou visuais, que constituem uma fonte para a imaginação ativa.

FANTASIA E PENSAMENTO LÓGICO

A propósito das histórias inventadas por crianças (veja nos Capítulos 3, 5, 35), parece-me válida a reflexão de John Dewey em *Como pensamos*:

> As histórias imaginativas contadas por crianças têm graus variados de coerência interna: algumas são desconexas, outras, articuladas. Quando conexas, simulam o pensamento reflexivo; em verdade, costumam ocorrer em mentes dotadas de capacidade lógica. Essas construções imaginativas precedem em geral um pensamento mais rigorosamente coerente e lhe abrem caminho.

"Simulam"... "precedem"... "'abrem caminho"... Não me parece arbitrário deduzir que, se quisermos ensinar a *pensar*, devemos primeiro ensinar a *inventar*.

Do mesmo Dewey, outra belíssima reflexão:

> O pensamento deve ser reservado ao novo, ao precário, ao problemático. Daí o constrangimento mental e a impressão de perda de tempo que as crianças sentem quando lhes pedimos que reflitam sobre coisas familiares.

O tédio é inimigo do pensamento. Mas, se convidarmos as crianças a pensar (veja no Capítulo 6) em "que aconteceria se todos na

Gramática da fantasia

Sicília perdessem os botões das roupas", estou disposto a apostar todos os meus botões que elas não se entediarão.

A ADIVINHA COMO FORMA DE CONHECIMENTO

(Veja no Capítulo 13.)

Ao falar da arte e da técnica da descoberta em seu livro *Sobre o conhecimento* — muito estimulante para todos e não só para quem se interessa por educação —, Jerome Bruner escreve:

> Weldon, o filósofo inglês, descreve a solução de problemas de modo interessante e pitoresco. Ele diferencia dificuldades, adivinhas e problemas. Resolvemos um problema ou fazemos uma descoberta quando aplicamos o formato de adivinha a uma dificuldade para convertê-la num problema que pode ser solucionado, de modo que nos leve aonde queremos chegar. Ou seja, reformulamos a dificuldade de uma forma com a qual sabemos lidar e trabalhamos com ela. Boa parte do que chamamos de descoberta consiste em saber aplicar uma forma exequível a diferentes tipos de dificuldade. Uma parte pequena mas crucial das descobertas do mais alto nível consiste em inventar e aprimorar modelos eficazes ou em "formato de adivinha". É nessa área que brilha a mente verdadeiramente genial. Contudo, é surpreendente ver até que ponto pessoas bastante comuns conseguem, com o auxílio benéfico da instrução, construir modelos deveras interessantes que há um século teriam sido considerados muito originais.

Lucio Lombardo Radice, em seu *L'educazione della mente* [*A educação da mente*], dedica um belo capítulo aos enigmas "em todas as suas variadíssimas formas". Em particular, ele analisa o "jogo de adivinhação", no qual um jogador "pensa" em algo (um objeto, um animal, uma pessoa etc.) e o outro, com uma série de perguntas, cerca, por assim dizer, a coisa pensada para descobri-la.

> É um dos jogos mais ricos e úteis do ponto de vista do amadurecimento intelectual e da aquisição de uma bagagem cultural. Primeiro é necessário ensinar à criança o método da adivinhação (se deixarmos por sua conta,

ela não saberá o que perguntar nas primeiras vezes). O melhor método é o de restringir pouco a pouco o campo de possibilidades. Homem, mulher, criança, animal, vegetal ou mineral? Se homem: está vivo, existiu mesmo, existiu no passado ou na fantasia? Se o conhecemos pessoalmente: é jovem, velho, casado ou solteiro? [...] O método de que falamos é mais do que um truque de adivinhação; é o método principal do intelecto: a classificação, o agrupamento em conceitos dos dados da experiência. Surgem questões interessantíssimas, distinções cada vez mais precisas e sutis. Se um objeto: foi feito pelo homem ou pela natureza? ... Etc.

A palavra "adivinha" aparece curiosamente em *Santo Agostinho: uma biografia*, de Peter Brown, no capítulo em que o autor fala do Agostinho pregador e de seu modo de interpretar a Bíblia, como uma "mensagem cifrada", por assim dizer:

> Veremos que a atitude de Agostinho a respeito da alegoria resumia toda uma concepção do conhecimento. Todavia, motivos menos sutis podem ter induzido os ouvintes a apreciar os sermões de seu bispo. Vista dessa perspectiva, a Bíblia torna-se de fato uma adivinha gigantesca — como uma vasta inscrição com caracteres desconhecidos. Tinha toda a sedução elementar do enigma, da mais primitiva modalidade de triunfo sobre o desconhecido, que consiste em descobrir o que é familiar sob feições desconhecidas.

O trecho a seguir também é interessante:

> Os africanos tinham um amor barroco pela sutileza. Sempre adoraram brincar com as palavras; destacaram-se na escrita de acrósticos refinados; apreciavam enormemente o sentimento de hilaridade — mistura de empolgação intelectual e puro prazer estético diante de uma demonstração singular daquilo. Agostinho dava-lhes exatamente isso.

Recomendo também *La matematica dell'uomo della strada nel problema delle scelte* [*A matemática do cidadão comum na questão da escolha*], de Vittorio Checcucci, no qual estão as pesquisas conduzidas por ele e seus alunos no seminário didático do Instituto de Matemática da Universidade de Pisa, em colaboração com uma escola de ensino médio e com o Instituto Técnico Náutico de Livorno. A "matéria-prima" da pesquisa consistia em algumas adivinhas e enigmas populares do tipo "como salvar cabras e repolhos"[110].

O EFEITO DE AMPLIFICAÇÃO

Do conto popular original passa-se aos "contos remodelados" (veja no Capítulo 21) essencialmente por um efeito de "amplificação", do tipo daquele descrito no ensaio de A. K. Zolkóvsky que leva esse título, publicado na Itália no livro *I sistemi di segni e lo strutturalismo sovietico* [*Os sistemas de signos e o estruturalismo soviético*]: "Um elemento que a princípio era desprovido de distinção e importância adquire de repente, num contexto particular, um peso determinante. Isso se torna possível pelo caráter multifacetado e assimétrico, por assim dizer, das coisas: o que é insignificante em certo sentido abre caminho, sob determinadas condições, a algo difícil e importante em outro sentido". Na física e na cibernética esse efeito é conhecido por "amplificação": "No processo de amplificação, uma pequena quantidade de energia, atuando como sinal, movimenta uma grande massa de energia armazenada, que é liberada e produz efeitos muito relevantes". Segundo Zolkóvsky, pode-se considerar a "amplificação" a "estrutura" de cada descoberta, seja artística, seja científica.

Um elemento secundário do conto original "libera" a energia do novo conto, atuando como "amplificador".

O TEATRO DAS CRIANÇAS

A respeito da criação de um "teatro infantil" — isto é, de uma atividade de produção teatral com crianças, dentro e fora da escola —, recomendo, além do livro de Franco Passatore e amigos (veja no Capítulo 23), os artigos "Il lavoro teatrale nella scuola" [O trabalho teatral na escola], de G. Testa, F. Passatore e outros, e "Le tecniche del teatro nella pedagogia Freinet" [A técnica do teatro na pedagogia de Freinet], de

Gianni Rodari

Fiorenzo Alfieri, em *Cooperazione Educativa*, n. 11-12, 1971, e os livros *Facciamo teatro* [*Façamos teatro*], de Giuliano Parenti, *Un paese – Esperienze di drammaturgia infantile* [*Um país – Experiência de dramaturgia infantil*], de Sergio Liberovici e Remo Rostagno, e *Il teatro dei ragazzi* [*O teatro das crianças*], organizado por Giuseppe Bartolucci.

Os especialistas poderiam tentar excluir o livro de Giuliano Parenti da série dedicada às experiências e técnicas relativas à criança como "produtora": essa obra é um "guia da prática teatral", mas trata da criança como criadora de textos apenas em um pequeno trecho. É um teatro "feito" por crianças, mas não, propriamente falando, um "teatro das crianças". O artigo citado de Fiorenzo Alfieri situa-se no extremo oposto: nele vemos crianças improvisando argumentos, preparando um mínimo de equipamentos, representando um tema, envolvendo também os espectadores, tudo sob o signo de uma magnífica "irrepetibilidade": o teatro como "momento vital", não como algo "revivido".

Pessoalmente, considero muito válido o momento "teatro-brincadeira-vida" e não menos válida a reflexão, proposta por Parenti, sobre uma "gramática do teatro", que pode ampliar os horizontes da criança inventora. Depois das primeiras improvisações, para não esgotar a brincadeira, é preciso enriquecê-la. A liberdade precisa do apoio da técnica, num equilíbrio difícil mas necessário. Schiller também disse isso.

Acrescento que seria muito bom que houvesse também um "teatro *para* crianças", a fim de satisfazer outras necessidades culturais não menos autênticas.

"Teatro das crianças" e "teatro para crianças" são duas coisas diferentes, mas igualmente importantes se estiverem mesmo a serviço da garotada.

MERCEOLOGIA FANTÁSTICA

Um modesto tratado de "merceologia fantástica" (veja no Capítulo 26) encontra-se em meu livrinho *I viaggi di Giovannino Perdigiorno* [*As viagens de Joãozinho Perdedias*], cujo protagonista visita, um após o

Gramática da fantasia

outro, os homens de açúcar, o planeta de chocolate, os homens de sabão, os homens de gelo, os homens de borracha, os homens-nuvem, o planeta melancólico, o planeta infantil, os homens "mais" (o mais forte, o mais gordo, o mais pobre etc.), os homens de papel (pautado e quadriculado), os homens de tabaco, o país sem sono (onde se canta uma canção de despertar, não de ninar), os homens de vento, o país do "nim" (onde ninguém sabe dizer não nem sim), o país sem erro (que não existe, mas existirá, talvez). Não falo disso aqui apenas para fazer propaganda, mas porque diversas crianças, depois de terem lido as primeiras páginas, não esperaram nem sequer chegar ao fim para começar a inventar países e homens feitos de coisas estranhíssimas, do alabastro ao algodão, mas também de energia elétrica. Apoderando-se do projeto e da ideia, elas os usaram a seu modo, como costumam fazer com brinquedos. Ser capaz de levar as crianças a brincar me parece uma grande conquista para um livro.

O URSO DE PELÚCIA

(Veja no Capítulo 31.)

Existem muitas explicações convincentes a respeito da presença no mundo dos brinquedos de ursos de pelúcia, cachorros de borracha, cavalinhos de madeira e outros animais de brinquedo. Cada um deles refere-se a uma função afetiva já bem ilustrada. A criança que leva seu urso de pelúcia ou de pano para a cama tem o direito de ignorar o motivo disso. Nós sabemos mais ou menos. A criança recebe dele o calor e a proteção que o pai e a mãe, naquele momento, não mais lhe asseguram com seu contato físico.

Também é provável que o cavalo de balanço tenha relação com o fascínio da cavalaria e, bem ao longe (ao menos antigamente), com a educação para a vida militar. Mas, para explicar inteiramente a relação entre a criança e o animal de brinquedo, precisamos voltar muito mais. Em tempos longínquos, os seres humanos domesticaram os primeiros animais, e os primeiros cachorros apareceram ao redor do abrigo da família ou da tribo, acostumando-se a crescer na companhia das crian-ças. Ainda mais atrás, nas profundezas do totemismo, não só a criança, mas toda a tribo de caçadores tinha um animal protetor e benfeitor, que proclamavam ser seu antepassado, adotando-lhe o nome.

A primeira relação com os animais foi de natureza mágica. A teoria de que a criança, em seu desenvolvimento, possa reviver essa fase já provocou fascínio em certa época, sem convencer plenamente. Todavia, o ursinho de pelúcia tem algo do totem, e a região em que esse animal vive tem também os contornos dos mitos, que não são criações arbitrárias da imaginação, mas formas de aproximação da realidade.

Ao crescer, a criança esquece seu urso de brinquedo. Mas não de todo. Paciente, o animal continuará aconchegando-se dentro dela, como numa cama quentinha, e um belo dia saltará para fora, inesperadamente, irreconhecível à primeira vista... Nós o veremos aparecer em um trecho de *A evolução cultural do homem*, de V. Gordon Childe. E o autor também se refere a algo bem diferente.

> Um certo grau de abstração é, no entanto, próprio de qualquer idioma. Porém, depois de ter extraído a ideia do urso de seu ambiente concreto e real e tê-lo despojado de muitas características, pode-se associar essa ideia a outras também abstratas e atribuir características particulares ao urso, mesmo que nunca se tenha encontrado um urso em tal ambiente e com tais características. É possível, por exemplo, dotar um urso de fala ou descrevê-lo tocando um instrumento musical. Pode-se brincar com as palavras, o que talvez contribua para a mitologia e a magia. Existe também a possibilidade de isso levar a invenções, se o que se diz e se pensa puder ser experimentado e realizado. A menção a homens alados sem dúvida precedeu de muito tempo a invenção de uma máquina voadora que funcionasse.

É uma bela passagem, que diz muito mais da importância de brincar com as palavras do que parece. E o urso fica ótimo aí. Mas o ser primitivo que dá a palavra ao urso e a criança que dá a palavra ao seu ursinho não seriam a mesma pessoa? Se apostássemos que Gordon Childe brincava com um urso de pelúcia quando criança e que essa lembrança o norteou ao escrever esse texto, não perderíamos um centavo.

Gramática da fantasia

UM VERBO PARA BRINCAR
(Veja no Capítulo 33.)

"As crianças sabem mais do que a gramática", escrevi em 28 de janeiro de 1961, num artigo publicado no *Paese Sera* e dedicado ao pretérito imperfeito do indicativo que as crianças pronunciam "quando assumem uma personalidade imaginária, quando entram na fábula ali mesmo na soleira da porta, onde ocorrem os últimos preparativos para a brincadeira". Aquele imperfeito, filho legítimo do "era uma vez" que dá início aos contos de fadas e às fábulas, é um presente especial, um tempo inventado, um verbo feito precisamente para brincar; para a gramática, é um presente no passado. Os dicionários e as gramáticas, entretanto, parecem ignorar esse uso particular do imperfeito. Vincenzo Ceppellini, no seu útil *Dizionario grammaticale*, registra cinco usos do imperfeito e define o quinto como "o famoso tempo das descrições e das fábulas", mas ignora as brincadeiras das crianças. Alfredo Panzini e Augusto Vicinelli, em *La parola e la vita* [*A palavra e a vida*], quase fazem a descoberta decisiva quando dizem que o imperfeito "circunscreve os momentos das evocações e das recordações poéticas" e, mais ainda, quando lembram que *fabula* vem do latim *fari*, ou seja, "falar" — fábula, "a coisa dita"... Mas não chegam a classificar um "imperfeito fabulístico".

Giacomo Leopardi, que tinha um ouvido realmente fantástico para os verbos, consegue encontrar em Petrarca um imperfeito com significado de futuro do pretérito: "Fosse outra a sua vontade / a mim era morte e a ela, real infâmia" (ou seja, "teria sido" a morte para mim). Todavia, percebe-se que não prestou atenção aos verbos das crianças quando as via brincar e saltar "juntas na pracinha" e se alegrava, boa alma, com o "barulho de felicidade" delas. E pensar que talvez nesse "barulho de felicidade" houvesse a voz de um menininho que sugeria uma brincadeira maldosa: "Eu era o corcunda, vai, o conde corcunda..."

Toddi[111], na sua *Grammatica rivoluzionaria*, quase se refere à nossa questão com uma imagem feliz: "O imperfeito é usado frequentemente como fundo de cena, diante do qual se desenrola o restante do

Gianni Rodari

discurso". Quando a criança diz "eu era", com efeito ergue aquele pano de fundo, muda a cena. Mas as gramáticas não se ocupam dela, a não ser para lhe causar problemas na escola.

HISTÓRIAS DA MATEMÁTICA

Ao lado de uma "matemática das histórias" (veja no Capítulo 37), existem também "histórias da matemática". Quem acompanha a seção de Martin Gardner, "Jogos de matemática", na revista *Scientific American* já me entendeu. Os "jogos" que os matemáticos inventam para explorar seu território ou descobrir outros assumem muitas vezes a roupagem de "ficções" que estão a um passo da invenção narrativa. Eis, por exemplo, o jogo chamado *Life* [Vida], criado por John Norton Conway[112], matemático de Cambridge (*Scientific American*, maio de 1971). O jogo consiste em simular no computador o nascimento, a transformação e o declínio de uma sociedade de organismos vivos. Nesse jogo, configurações inicialmente assimétricas tendem a tornar-se simétricas. O professor Conway as chama de "colmeia", "semáforo", "charco, "serpente", "barca", "planador", "relógio", "sapo" etc. e garante que elas são "um espetáculo maravilhoso de ver na tela do computador" — um espetáculo em que, no fim das contas, a imaginação contempla a si própria e suas estruturas.

EM DEFESA DO GATO DE BOTAS

A propósito da criança que ouve contos populares (veja no Capítulo 38) e dos possíveis conteúdos de sua "escuta", sugiro a leitura de um artigo de Sara Melauri Cerrini (publicado no *Giornale dei Genitori* em dezembro de 1971) sobre a "moral" do *Gato de Botas*, em que ela dizia:

> No início das histórias infantis, muitas vezes há alguém que morre e deixa vários bens para os filhos, um dos quais, o mais modesto, tem virtudes milagrosas. Como de costume, os irmãos herdeiros não se dão bem; o mais afortunado quer tudo para si e deixa que os outros se arranjem. Assim, também na nossa história o mais jovem é o infeliz que, vendo-se sozinho com um gato, não sabe como se alimentar. Por sorte,

o gato, chamando-o de "dono", põe-se voluntariamente a serviço dele, prometendo ajudá-lo. Na realidade, esse gato é um esperto conhecedor do mundo; sabe que, antes de tudo, é preciso manter as aparências. Por isso, com o único tostão que recebe do dono, compra uma bela roupa, botas e chapéu. Bem-vestido e com um presente vistoso, apresenta-se ao rei para obter o que deseja. Eis aí, indicada aos pequenos, uma técnica eficaz para sair das sombras, aproximar-se do poder e fazer fortuna: vestir-se bem, fingir que se deve cumprir uma missão importante, levar um presente a quem o oprime, espalhar autoritariamente o medo entre os que estão no seu caminho, apresentar-se em nome de uma pessoa importante e todas as portas se abrirão…

E, depois de ter resumido toda a fábula desse ponto de vista, concluía:

Eis a moral da história: com astúcia, com trapaça, consegue-se ser tão poderoso como os reis. Já que a bondade familiar e a ajuda aos irmãos não existem, é preciso recorrer a quem entende o sistema, ou seja, um político como o gato, para se tornar um marmanjo imbecil como os poderosos.

No texto abaixo, em que comento a releitura dessa velha fábula, não contesto sua legitimidade, mas recomendo prudência. É fácil "desmitificar", mas também se pode errar o alvo. É verdade que em *O Gato de Botas* a ambientação e os trajes são medievais, que reflete o tema da astúcia como arma de defesa e de ataque dos fracos contra os poderosos, que esse tema pertence a uma ideologia subalterna, expressa pelo mundo dos servos da gleba, em que todos dão uma mãozinha para enganar o rei, mas não são capazes de solidariedade verdadeira. Mas o gato, em si, é outra coisa…

Não se deve deixar de relembrar — acrescentava a minha defesa do Gato de Botas — o que Propp escreveu em seu livro *As raízes históricas do conto maravilhoso* a respeito do tema dos "ajudantes fantásticos" e dos "dons fantásticos", que está entre os temas centrais dos contos populares. Segundo Propp (e outros), o animal que aparece nas fábulas como benfeitor das pessoas — ou as ajuda em empreitadas difíceis, ou as recompensa desmedidamente por ter sido poupado na caça — é, agora com roupas "laicas" e puramente narrativas, o animal-totem venerado pelas tribos primitivas de caçadores, que tinham com ele uma espécie de pacto religioso. Com a transição para a vida sedentária e a agricultura, os seres humanos abandonaram as antigas crenças totêmicas, porém conservaram uma ideia particular e intensa da amizade entre eles e os animais.

Nos antigos ritos de iniciação, era designado aos jovens da tribo um animal protetor, um "espírito guardião". Abandonados os ritos, resta deles a narrativa: o animal protetor transformou-se no "ajudante encantado" das fábulas e assim, continuando a viver na imaginação popular, conquistou com o tempo diversas conotações, a ponto de tornar-se difícil reconhecê-lo nas vestimentas às quais foi obrigado a se adaptar.

A imaginação também é necessária para refazer o caminho inverso, para despir a fábula de suas cores vivas e atingir seu âmago mais secreto: portanto, podemos reconhecer o jovem iniciado no orfãozinho ou no irmão mais novo (é sempre dele que tratam os contos desse gênero); no gato que se encarrega de lhe dar fortuna, seu "espírito protetor". E, se nesse ponto voltarmos à fábula, é possível que o gato revele duas faces: aquela bem descrita por Sara Melauri, do precursor de um mundo corrupto e desumano, e também a outra face, do aliado que garante justiça ao seu protegido. De qualquer modo, esse velho gato, herdeiro de obscuras tradições milenares, ruína de tempos sepultados no silêncio da pré-história, parece bem mais respeitável do que um corruptor astuto, do que um bobo da corte.

Naturalmente, a criança que escuta a fábula *O Gato de Botas* vive-a em seu presente, no qual não há lugar nem para a história nem para a pré-história. No entanto, de alguma maneira inexplicável, ela talvez consiga sentir que o núcleo mais autêntico da fábula não é a carreira do falso Marquês de Carabinas, mas a relação entre o jovem e o gato, entre o órfão e o animal. É provável que essa seja a imagem mais duradoura e, no plano emocional, mais eficaz. Ela se funde ao sistema afetivo da

Gramática da fantasia

criança, do qual costuma fazer parte um animal, real ou imaginário (brinquedo...), o qual assume um papel de grande importância, já descrito pela psicologia [...].

No número 3-4 de 1972 do mesmo *Giornale dei Genitori*, Laura Conti escreveu uma nova "defesa do Gato de Botas", que transcrevo quase por inteiro:

[...] Quero contar como eu vivi, quando criança (ou seja, meio século atrás), a história *O Gato de Botas*.

Antes de tudo, o gato — assim como seu dono e como eu — era pequeno em um mundo de grandes; mas suas botas permitiam-lhe dar passos longuíssimos, ou seja, permitiam-lhe sair do seu estado de pequenez, embora continuasse pequeno; permitiam-lhe dar grandes passos continuando a ser um gato pequeno. Também eu queria *continuar pequena* mas *fazer coisas grandes*, até ultrapassar os grandes em seu próprio terreno; queria a grandeza (comprimento dos passos) [...]. A relação pequeno-grande saía, pois, do sentido próprio das dimensões para projetar-se num sentido figurado. O gato, outro ser pequeno, é também menosprezado, considerado inútil: sua presença em casa era tida como um fastidioso capricho meu. Por isso mesmo, muito me agradava que o animalzinho inútil se tornasse um potente aliado meu. O que o gato fazia em nada me importava, tanto é que o esqueci completamente: foi preciso o *Giornale dei Genitori* para me recordar das trapaças diplomáticas dele — e reconheço que se trata de diplomacia vulgar. Mas a mim não importavam as ações do gato, e sim os resultados: importava-me que se podia *vencer* mesmo na condição de *derrotada*, se posso exprimir em linguagem adulta uma sensação infantil (o jovem que herdara o gato, a princípio, lamentava-se da sua insignificante herança). Portanto, fascinava-me a dupla transformação de pequeno em grande e de perdedor em vencedor. Não me interessava a vitória em si: interessava-me a vitória *improvável*.

A dupla natureza do gato (pequeno-grande, perdedor-vencedor) satisfazia não só o desejo paradoxal de ser grande e continuar pequena, mas

Gianni Rodari

também o outro desejo paradoxal, de ver a vitória de uma criatura pequena e fraca como o doce gatinho. Eu detestava os fortes, nas lutas entre fortes e fracos nas fábulas, e torcia pelos fracos. Mas, se os fracos vencem, corre-se o risco de considerá-los fortes, o que significa odiá-los. A história do Gato de Botas poupava-me esse risco, porque o gato, mesmo vencendo o rei, continuava sendo um gato. Era como a situação de Davi e Golias, mas com um Davi que permanecia pastor e não se tornava o poderoso Rei Davi. Não que eu esteja fazendo a comparação *a posteriori*: com a mesma idade com que eu ouvia a história do Gato de Botas, ouvia também a História Sagrada, e o fato de o pastor tornar-se rei não me agradava nada — o que me agradava era apenas o fato de que Davi, com sua pequena funda, abatia o gigante. Diferentemente de Davi, o gato vencia o rei e continuava gato.

Sendo assim, recordando a minha experiência, posso confirmar plenamente aquilo que você disse: não o "conteúdo", mas a "ação" é a essência da fábula. O conteúdo podia ser até conformista, reacionário, mas a ação era bem diferente, pois demonstrava que na vida o que conta não é a amizade dos reis, mas a amizade dos gatos, isto é, das pequenas criaturas menosprezadas que sabem se impor aos poderosos.

ATIVIDADE EXPRESSIVA E EXPERIÊNCIA CIENTÍFICA

A propósito do Capítulo 44, que diz respeito à escola, veja a seguinte passagem de *Práticas de ensino*, do saudoso Bruno Ciari[113]:

A princípio, parece que não deveria haver convergência entre atividade expressiva, criatividade e experiência científica. Ao contrário, há uma relação estreita. A criança que para exprimir-se maneja lápis, tintas, papel e papelão, recorta, cola, modela etc. desenvolve por isso hábitos de concretude, de apego às coisas, de precisão, os quais contribuem para a formação de um hábito científico geral, em que, aliás, está sempre presente um aspecto criativo revelado na capacidade do verdadeiro cientista de servir-se, para suas experiências, dos instrumentos mais simples oferecidos pelo meio próximo. Contudo, já que estamos todos de acordo em que a formação científica deve partir de

Gramática da fantasia

fatos, observações, experiências efetivas das crianças, sinto-me obrigado a ressaltar que a mais importante das atividades expressivas, o texto livre, estimula a criança a observar melhor a realidade, a mergulhar na experiência [...].

Os alunos do professor Ciari criavam *hamsters*, brincavam de fazer cálculos com o sistema maia, descobriram a oração subordinada condicional ao fazer experimentos sobre a conservação da carne congelada, transformaram metade da aula em ateliê de pintura. Em suma, punham a imaginação em tudo que faziam.

ARTE E CIÊNCIA

(Veja no Capítulo 44.)

Existe um livro interessante sobre as analogias e homologias estruturais entre metodologia estética e metodologia científica: *La scienza e l'arte* [*Ciência e arte*], organizado por Ugo Volli. A tese geral é que "trabalho científico e trabalho artístico têm a característica essencial de projetar, de dar sentido, de transformar a realidade — isto é, reduzir objetos e fatos a significados sociais. São *semióticas da realidade*". Os vários ensaios, a muitas mãos, transitam na fronteira tradicional entre arte e ciência, para refutá-la e denunciar sua ilegitimidade, descobrindo terrenos comuns, sempre mais amplos, de que se ocupam as duas atividades com instrumentos cada vez mais semelhantes. O computador, por exemplo, serve ao matemático e ao artista que procura novas formas. Pintores, arquitetos e cientistas trabalham juntos nos centros de geração automática de formas plásticas. A fórmula de Nake[114] para suas imagens de computador ficaria tão bem em uma "gramática da fantasia" que a transcrevo aqui:

Dado um repertório finito de sinais R, um número finito de regras M para combinar tais sinais entre si, e dada uma intuição finita I que estabeleça de vez em quando quais sinais e quais regras escolher respectivamente entre R e M, o conjunto dos três elementos (R, M, I) representará, portanto, o programa estético.

Aqui, vale destacar que I representa a intervenção do acaso. E pode-se também observar que o conjunto tem a forma de um binômio fantástico, no qual, de um lado, R e M são a norma e I, o arbítrio criativo.

"Também na arte", já dizia, Klee, na era pré-cibernética, "há espaço suficiente para procurar a exatidão".

Notas

1. Fiôdor Dostoiévsky (1821-1881), escritor e filósofo russo, tido como um dos maiores representantes do pensamento russo, ao lado de Lev Tolstói.

2. Os livros mencionados pelo autor ao longo desta obra cujos títulos estão apenas em português ainda são ou já foram editados no Brasil. Vários dos outros livros e artigos recomendados ou citados por ele continuam disponíveis em livrarias na Itália ou são mantidos nos arquivos de fundações educacionais desse país. Um *link* no mínimo interessante é o que permite baixar da internet uma planilha com os quase sete mil volumes que integram a Biblioteca Rodari: <http://www.scuola.alto-adige.it/ic-bz4/biblioteca_rodari.xls>.

3. Novalis, pseudônimo de Georg Friedrich Philipp Freiherr von Hardenberg (1772--1801), poeta, teólogo, filósofo e escritor alemão, mais importante representante do romantismo em seu país no final do século XVIII.

4. André Breton (1896-1966), escritor e poeta francês, principal teórico e cofundador do movimento surrealista.

5. Respectivamente, "O que acontece se o vovô virar um gato?", "Um prato de histórias" e "Histórias para rir".

6. Immanuel Kant (1724-1804), filósofo alemão, considerado um dos mais importantes do pensamento ocidental.

7. Tropas de montanha do exército italiano.

8. Após os já citados Kant e Dostoiévsky, aparecem dois italianos, Eugenio Montale (1896-1981) e Alfonso Gatto (1909-1976), ambos poetas e escritores, além de terem tido uma série de outras ocupações.

9. O autor faz referência ao quitute francês *madeleine* mencionado pelo escritor, ensaísta e crítico literário Marcel Proust (1871-1922) em seu livro mais famoso, *Em busca do tempo perdido*. Proust descreve a primeira vez em que experimentou esse doce açucarado de limão, em forma de concha, notando que em toda a vida nunca mais sentiu o mesmo prazer.

10. Isidore Lucien Ducasse (1846-1870), também conhecido pelo pseudônimo de conde de Lautréamont, poeta francês nascido no Uruguai, autor de *Os cantos de Maldoror*, coletânea de poemas em prosa. A frase citada por Rodari serviu de inspiração para os surrealistas, sobretudo André Breton, que costumava citá-la, e Salvador Dalí (1904-1989), que pintou o quadro intitulado *Máquina de costura com guarda-chuva* (1941).

11. Referência aos compositores italianos de música serial e eletrônica Luigi Nono (1924-1990), Luciano Berio (1925-2003) e Bruno Maderna (1920-1973), que com-

Gianni Rodari

puseram várias peças juntos, e ao compositor alemão Karlheinz Stockhausen (1928-2007). Os quatro figuram entre os maiores vanguardistas da música do século XX.

12. A autor cita o poeta e filósofo francês Paul Valéry (1871-1945), membro da Academia Francesa, e o filósofo austríaco-britânico Ludwig Wittgenstein (1889-1951).

13. Marta Fattori (1942), filósofa, professora e escritora italiana.

14. Roman Jakobson (1896-1982), linguista, semiólogo e crítico literário russo naturalizado estadunidense, um dos fundadores das escolas do formalismo e do estruturalismo.

15. Henri Wallon (1879-1962), filósofo, psicólogo e político francês, mais conhecido por seu trabalho sobre o desenvolvimento infantil.

16. Paul Klee (1879-1940), artista suíço naturalizado alemão que participou dos movimentos artísticos do expressionismo, do cubismo e do surrealismo e foi professor da escola de arte Bauhaus.

17. Max Ernst (1891-1976), pintor, artista gráfico e poeta alemão, um dos pioneiros dos movimentos artísticos do dadaísmo e do surrealismo.

18. Giorgio de Chirico (1888-1978), artista greco-italiano, teve grande influência sobre os surrealistas.

19. Víktor Chklóvsky (1893-1984), panfletista, crítico literário e escritor russo. Liev Tôlstoi (1828-1910), escritor russo, autor dos famosos *Guerra e paz* (1869), *Anna Karenina* (1877) e *A morte de Ivan Ilitch* (1886), entre dezenas de outras obras.

20. Giacomo Leopardi (1798-1837), filósofo, poeta e pensador, considerado o melhor poeta italiano do século XIX.

21. Sigmund Freud (1856-1939), neurologista austríaco considerado pai da psicanálise.

22. Expressão em latim usada exortar as autoridades a tomar providências a respeito de determinado assunto. Provém de tópico da Constituição da República Romana, no século II, que dava aos cônsules poderes extraordinários em tempos de crise. A frase completa é *"videant consules ne quid res publica detrimenti capiat"* (cuidem os cônsules para que a república não seja prejudicada).

23. Citação de parte do segundo verso do Canto XXV de "Paraíso", terceira parte da *Divina comédia*, do escritor florentino Dante Alighieri (1265-1321), significando que toda a criação divina foi mobilizada.

24. Franz Kafka (1883-1924), escritor tcheco, autor de obras famosas como *O processo* e *O castelo*, além da citada *A metamorfose*.

25. Atualmente a República do Tartaristão é uma das 85 subdivisões da Federação Russa.

26. Transliteração do russo Володя, diminutivo afetuoso de Vladímir, algo como Vladinho.

27. Ferdinand de Saussure (1857-1913), linguista e filósofo suíço, um dos responsáveis pela autonomia da linguística e da semiótica como ciência e campo de estudo.

28. Antonio Gramsci (1891-1937), filósofo marxista, crítico literário, jornalista e político italiano, cofundador do Partido Comunista Italiano.

29. Expressão (*paper tiger*) surgida no século XIX na língua inglesa, em tradução de um termo chinês que literalmente significa "tigre de papel", atribuído a alguém que é inofensivo. A expressão passou a ser sinônimo de "chinês" em outras línguas ocidentais, como o italiano (*tigre di carta*).

Gramática da fantasia

30. Italo Calvino (1923-1985), jornalista e escritor italiano do neorrealismo ao pós--modernismo, um dos mais respeitados autores de contos e romances no mundo ocidental.

31. Friedrich Nietzsche (1844-1900), filósofo, poeta e compositor nascido na Prússia (território onde é a atual Alemanha), autor, entre outras obras, de *Assim falou Zaratustra*, em que discorre sobre a possibilidade de o homem se tornar um "além--homem" ou "super-homem".

32. Charles Perrault (1628-1703), escritor e membro da Academia Francesa, considerado criador do gênero conto de fadas.

33. Stith Thompson (1885-1976), folclorista americano, responsável pela tradução para o inglês e pela ampliação (em 1928 e 1961) do índice do folclore internacional lançado em 1910 pelo finlandês Antti Aarne (1867-1925). O alemão Hans-Jörg Uther (1944) publicou em 2004 a atualização e expansão daquela obra, conhecida hoje como Sistema de Classificação de Aarne-Thompson-Uther. O livro citado por Rodari, mas em inglês, intitulado *The folktale* [*Os contos populares*], está em domínio público e pode ser baixado em PDF legal de <http://folkmasa.org/yashpeh/The_Folktale.pdf>.

34. Nas versões em português, os sapatinhos de Cinderela ficaram ainda mais refinados: são de cristal.

35. Esse exemplo não foi adaptado para o português porque faz parte desse livro de Rodari não traduzido para o nosso idioma. Em italiano, "Itaglia" tem o mesmo som que "Italia". Em português, seria como escrever "Italha".

36. Umberto Eco (1932-2016), ensaísta, romancista, medievalista, crítico cultural, social e político, semiólogo e filósofo, autor de dezenas de livros de não ficção e ficção, entre eles os *best-sellers O nome da rosa* e *O pêndulo de Foucault*.

37. Giosuè Carducci (1835-1907), poeta, escritor, professor e crítico literário, primeiro italiano que recebeu o Prêmio Nobel de literatura, em 1906.

38. Verso presente no poema *Davanti a San Guido* [*Perante São Guido*].

39. Esse primeiro verso é de Carducci, presente no poema classificado como LXXXVI, no livro VII de *Rime nuove* [*Rimas novas*], de 14 de abril de 1883. Os demais versos compõem o exercício de Rodari.

40. Segundo verso da segunda estrofe do poema *Pianto antico* [*Pranto antigo*] (1887).

41. Edward Lear (1812-1888), escritor, poeta, músico, ilustrador e pintor inglês que popularizou os *limericks*, cuja estrutura de rimas é AABBA, em versos que não têm métrica rígida.

42. "*École du regard*" ("escola do olhar", em francês), tendência literária surgida nos anos 1950 no movimento do *Nouveau Roman* [Novo Romance]: os textos almejavam uma descrição minuciosa e abrangente de objetos, como se o olhar humano fosse uma câmera fotográfica ou cinematográfica.

43. Giovanni Straparola (1480-1557), escritor e romancista italiano prolífico. Grimm, sobrenome dos escritores e filólogos alemães Jakob (1785-1863) e Wilhelm (1786--1859), irmãos responsáveis pela coleta e recriação das fábulas da tradição popular alemã. Jakob é tido como fundador da patriótica "germanística", disciplina de estudo das línguas germânicas e de sua produção oral e escrita.

44. Hans Christian Andersen (1805-1875), escritor e poeta dinamarquês cujas obras mais famosas são os contos infantis *Soldadinho de chumbo*, *O patinho feio*, *A peque-*

Gianni Rodari

na sereia e *A roupa nova do rei*. Carlo Collodi (1826-1890), pseudônimo de Carlo Lorenzini, escritor e jornalista italiano, autor de *As aventuras de Pinóquio*.

45. Os personagens, o nome e a presença de cada um nessa fábula variam conforme a tradução.

46. Voltaire, pseudônimo de François-Marie Arouet (1694-1778), filósofo, dramaturgo, escritor, poeta, enciclopedista, fabulista e ensaísta francês, um dos expoentes do iluminismo, defensor da justiça e da liberdade e inspirador do racionalismo. Jorge Luís Borges (1899-1986), escritor, poeta, tradutor, ensaísta, filósofo e acadêmico argentino, precursor do gênero fantástico, cuja obra *História universal da infâmia* (1935) é considerada a primeira do realismo mágico.

47. A novela infantil *As aventuras de Pinóquio*, escrita por Carlo Collodi em 1881, tem entre suas personagens o Tubarão (*Pescecane*, em italiano), que engole algumas das personagens. Uma baleia surgiria na mesma história bem mais tarde, notadamente no desenho animado de Walt Disney (1940), assim como outras personagens com nome alterado.

48. James Joyce (1882-1941), escritor, poeta, contista irlandês, participante do movimento modernista europeu e considerado um dos mais influentes autores do século XX. Sua obra mais famosa é *Ulisses* (1922), a que Rodari faz referência. Alain Robbe-Grillet (1922-2008), escritor e cineasta francês, um dos integrantes do movimento Novo Romance, na década de 1960, na França; *Les gommes* [*As borrachas*] foi o seu primeiro romance (1953). Alberto Moravia (1907-1990), escritor, roteirista, dramaturgo e jornalista italiano cujos romances exploram a sexualidade, a alienação social e o existencialismo.

49. Vladímir Jakovlevič Propp (1895-1970), etnólogo, folclorista e erudito russo soviético que estudou a morfologia das histórias do folclore russo e chegou à sua estrutura fundamental.

50. Leonardo da Vinci (1452-1519), polímata florentino, criador de inventos em diversos campos do conhecimento, como engenharia, anatomia, geologia, óptica, astronomia, botânica, além de ter sido desenhista e pintor. Sua pintura mais célebre é *Mona Lisa*. É tido como um dos mais talentosos artistas e inventores de todos os tempos.

51. Befana, personagem do folclore italiano, é uma velha imaginária que alça voo na noite da Epifania e entra nas casas pela chaminé para levar presentes às crianças. O Dia da Epifania, mais conhecido no Brasil como Dia de Reis (6 de janeiro), é uma data cristã que comemora a revelação de Jesus Cristo ao mundo pelos magos e celebra, em certas denominações religiosas, o batismo de Jesus e as bodas de Caná.

52. Pseudônimo de Émile Chartier (1868-1951), célebre filósofo francês, jornalista e pacifista, cuja obra foi traduzida em parte para o português. Seu pseudônimo homenageia o poeta e escritor normando Alain Chartier (1385-1430).

53. A cabana que perambula sobre pés de galinha, cercada de pinheiros e caveiras reluzentes, pertence a Baba Yaga, bruxa velha do folclore russo. Ela se mostra aos visitantes do bosque tanto como velhinha simpática e solícita quanto como temível antropófaga.

54. Aurelio Agostinho de Hipona (354-430), eternizado com o epíteto de santo Agostinho, filósofo, teólogo e bispo católico de Hipona (cidade do Império Romano, atual

Gramática da fantasia

Annaba, na Argélia). É considerado o maior pensador cristão do primeiro milênio depois de Cristo.

55. Em italiano há um jogo de palavras entre "*le carte in tavola*" [as cartas na mesa] e "*le carte in favola*" [as cartas nas fábulas]. Em português, esse trocadilho sonoro e visual se perde.

56. A *Festa dell'Unità* [Festa do *Unità*] foi realizada pela primeira vez em 1945 pelo Partido Comunista Italiano, logo após o final da Segunda Guerra Mundial. A intenção do evento era coletar recursos para o partido e seu jornal, *L'Unità* (*A Unidade*). Com o passar dos anos, diferentes partidos políticos de esquerda revezaram-se na organização da festa, que desde 2007 é promovida pelo Partido Democrático, de centro-esquerda.

57. Alessandro Manzoni (1785-1873), escritor, poeta e dramaturgo milanês, considerado um dos maiores romancistas italianos de todos os tempos. O romance *Os noivos*, com primeira versão em 1827 e segunda, definitiva, em 1840, é tido como sua obra-prima.

58. A Brigadas Negras eram um contingente voluntário das Forças Armadas da República Socialista Italiana (1943-1945), ou República de Salò, instituída durante a ocupação do território italiano pela Alemanha nazista e comandada por Benito Mussolini.

59. Anton Diabelli (1781-1858), compositor, pianista e editor musical austríaco, desafiou em 1822 os maiores compositores da época a escrever uma variação de uma valsa simples de sua autoria. O maior nome entre eles, Ludwig van Beethoven (1770-1827), recusou o desafio a princípio, mas depois o aceitou e compôs não uma variação sobre o tema proposto, mas 33, hoje conhecidas como *Variações Diabelli* (1819-1823), comparáveis em extensão às *Variações Goldberg* (1741-1745), de Johann Sebastian Bach (1685-1750).

60. *Microcosmos*, escrita de 1926 a 1939, é uma obra de seis volumes, com 153 peças didáticas de piano, cujo nível técnico varia de fácil a muito difícil. Seu autor, o húngaro Béla Bartók (1881-1945), está entre os melhores compositores do século XX, sendo considerado também o melhor da Hungria, ao lado de Franz Liszt (1811-1886).

61. Lev Semiônovitch Vigótsky (1896-1934), renomado psicólogo bielorrusso soviético, mais conhecido por seu trabalho sobre o desenvolvimento psicológico infantil.

62. Maria Montessori (1870-1952), pedagoga, educadora e médica italiana, famosa pelo método educacional que leva seu sobrenome.

63. Natalia Ginzburg (1916-1991), escritora, dramaturga e ativista política, que figura entre os melhores autores italianos do século XX.

64. Jean Piaget (1896-1980), psicólogo, biólogo e pedagogo suíço, considerado pai da epistemologia genética.

65. Francesco De Bartolomeis (1918), pedagogo, escritor, político e crítico de arte italiano, defensor da escola participativa e voltado para a psicopedagogia dos jovens.

66. Jerome Bruner (1915-2016), psicólogo estadunidense que deu contribuições significativas para a psicologia cognitiva e a teoria cognitiva.

67. Johann Wolfgang von Goethe (1749-1832), escritor, poeta e dramaturgo alemão, comemorado como um dos melhores de seu país, autor da famosa obra *Fausto*, dividida em duas partes (1808 e 1832). Heinrich von Kleist (1777-1811), dramatur-

Gianni Rodari

go, poeta e escritor alemão cujo sobrenome figura no mais prestigioso prêmio literário da Alemanha, instituído em 1912.

68. Otello Sarzi (1922-2001), educador, artista e titereiro italiano que começou a carreira na companhia teatral itinerante de sua família e trabalhou por vários anos com Gianni Rodari, confeccionando máscaras e fantoches e montando peças infantis.

69. Mariano Dolci (1937), matemático, pedagogo e titereiro nascido na Bulgária, referência na difusão do conhecimento científico e no âmbito da educação infantil na Itália, trabalhou a vida inteira com teatro de fantoches e de sombras.

70. Ópera composta pelo italiano Giuseppe Verdi (1813-1901), com libreto do também italiano, poeta e escritor Antonio Ghislanzoni (1824-1893), inspirado em argumento do arqueólogo e egiptólogo francês Auguste Mariette (1821-1881), fundador do Museu Egípcio, no Cairo (Egito).

71. A peça de fantoches que o autor menciona baseia-se na história anônima *Ginevra degli Almieri*, que se passa no final do século XIV. A protagonista, Ginevra, é uma mulher considerada belíssima e inteligente que contrai a peste negra e é sepultada viva, mas consegue sair do túmulo e, depois de vários contratempos, casa-se com seu amado.

72. Rodari refere-se à personagem de *As aventuras de Pinóquio*.

73. Em italiano existe a expressão popular *buon diavolo* (bom diabo), que descreve uma pessoa inofensiva, à qual nos referimos, em português, como "pobre-diabo". Assim, o processo descrito por Rodari, envolvendo as palavras "bom" e "diabo", não se aplica à nossa língua, mas se compreende a inversão de que ele fala.

74. O autor cita duas notações musicais referentes ao andamento (ao "passo") da composição: andantino é um pouco mais rápido que andante (um andamento moderado), e *allegro presto*, um andamento alegre mais rápido que *allegro*.

75. O título completo desse livro é *Il senso del comico nel fanciullo ed il suo valore nella educazione* [*O sentido do cômico para a criança e sua importância na educação*], lançado em 1957, em Milão, pelo editor Giuseppe Malipiero e ainda disponível. Seu autor, o italiano Raffaele Lapòrta (1916-2000), era pedagogo e professor de prestigiosas universidades; concentrou-se sobretudo nos temas da educação permanente, lazer dos jovens e didática do cinema.

76. Rodari cria uma situação cômica com três figuras históricas italianas: o conde, filósofo, político e escritor Monaldo Leopardi (1776-1847), pai do já citado Giacomo Leopardi, que tinha opiniões e posições diametralmente opostas às do pai. Camillo Sbarbaro (1888-1967), famoso micologista e poeta que se inspirou na linha poética de Giacomo.

77. Luigi Pirandello (1867-1936), dramaturgo, escritor e poeta italiano, prêmio Nobel de literatura de 1934, discorreu sobre humorismo e comicidade no livro *L'umorismo* (1908). Uma de suas peças teatrais mais conhecidas é *Seis personagens à procura de autor*, cuja montagem mais famosa no Brasil foi a do Teatro Brasileiro de Comédia (TBC), em 1951, estrelada por Sérgio Cardoso, Cacilda Becker e Paulo Autran, sob a direção do italiano Adolfo Celi.

78. Laura Conti (1921-1993), *partigiana* (combatente da Resistência antifascista), médica, ambientalista, política e escritora, tida como mãe do ambientalismo italiano.

79. Maria Enrica Agostinelli (1929-1980), publicitária e ilustradora renomada, trabalhou por um bom tempo com Gianni Rodari.

Gramática da fantasia

80. Mario Lodi (1922-2014), escritor, pedagogo e professor italiano, seguidor do pedagogo francês Célestin Freinet (1896-1966), participante do Movimento de Cooperação Educacional, ligado à pedagogia popular. O conto "A cabra do senhor Séguin" é de autoria do escritor naturalista francês Alphonse Daudet (1840-1897) e foi publicado em seu livro *Cartas do meu moinho*, lançado no Brasil pela editora Artes e Ofícios em 2013. Vho é a terra natal de Mario Lodi, que lecionou lá por 22 anos.

81. A Resistência foi um contingente de civis e militares que combateu a ocupação alemã em vários países europeus, a Itália inclusive, durante a Segunda Guerra Mundial.

82. Em italiano, para designar "dono" usa-se *padrone*, que pode significar também "patrão", "proprietário". Assim, o termo italiano dá maior peso ao âmbito político-social da história. [N. T.]

83. Em latim, "a fábula fala de ti". É o primeiro verso do livro I das *Sátiras* (35 a.C.) do poeta latino Quinto Horácio Flaco (65 a.C.-8 a.C), mais conhecido por Horácio. Os versos completos são: *"Quid rides? Mutato nome de te / fabula narratur"* (De que ris? Trocado o nome / a fábula fala de ti).

84. Referência à famosa frase atribuída ao matemático, físico, filósofo e moralista francês Blaise Pascal (1623-1662), publicada postumamente no livro *Pensamentos*, de 1669: "O coração tem razões que a razão desconhece".

85. John Dewey (1859-1952), filósofo, psicólogo e educador americano, encabeçou a tentativa de reforma educacional e social nos Estados Unidos, tendo sido um dos fundadores do movimento *New School* [Escola Nova]. Influenciou educadores de outros países, como o brasileiro Anísio Teixeira (1900-1971), propagador do movimento reformista da Escola Nova, que defendia um ensino público gratuito, obrigatório e laico.

86. Baruch Spinoza (1632-1677), filósofo holandês, expoente do racionalismo. Henri Bergson (1859-1941), filósofo francês, prêmio Nobel de literatura de 1927. Benedetto Croce (1866-1952), filósofo, político e escritor italiano, ideólogo do liberalismo italiano do século XX e representante do neoidealismo.

87. Referência à personagem do poema "Il re Travicello" [O rei Viga], de Giuseppe Giusti (1809-1850), poeta e escritor italiano, a respeito de um rei dócil e obtuso, com "cabeça de madeira", a quem falta autonomia e autoridade.

88. "Capacidade criativa", em latim.

89. Aristóteles (384/383 a.C.-322 a.C.), filósofo da Grécia antiga, considerado um dos maiores de todos os tempos. Francis Bacon (1561-1626), filósofo, jurista e político inglês, procurador-geral e chanceler de seu país. René Descartes (1596-1650), filósofo e matemático francês, um dos fundadores da matemática e da filosofia modernas. Christian Wolff (1679-1754), filósofo e jurista alemão, antecessor de Kant. Nicola Abbagnano (1901-1990), filósofo e acadêmico italiano, autor do *Dicionário de filosofia* consultado por Rodari, lançado primeiramente em 1961. Johann Gottlieb Fichte (1762-1814), filósofo alemão, discípulo de Kant e fundador do idealismo na Alemanha.

90. Georg Wilhelm Friedrich Hegel (1770-1831), filósofo, acadêmico e poeta alemão, representante mais expressivo do idealismo alemão, iniciado por Fichte.

91. *A ideologia alemã*, obra de 1845 dos famosos filósofos e sociólogos alemães Karl Marx (1818-1883) e Friedrich Engels (1820-1895), fundadores do socialismo científico.

Gianni Rodari

92. Edmund Husserl (1859-1938), filósofo e matemático germano-austríaco, fundador da fenomenologia. Jean-Paul Sartre (1905-1980), filósofo, dramaturgo, escritor e crítico literário francês, celebrado como o mais destacado representante do existencialismo.
93. Elémire Zolla (1926-2002), escritor, filósofo e historiador de religiões italiano, estudioso de doutrinas esotéricas e da mística ocidental.
94. Bertrand Russell (1872-1970), filósofo, matemático, ensaísta e pacifista galês.
95. Rudolf Arnheim (1904-2007), escritor e psicólogo alemão ligado à psicologia da Gestalt, professor de universidades famosas nos Estados Unidos, onde se exilou em 1940.
96. Tudo se encaixa, ou tudo se arranja, tudo dá certo (em francês no original).
97. Arthur J. Cropley (1939), engenheiro australiano, autor prolífico cujo tema principal é a criatividade. O livro citado por Rodari tem em inglês o título de *Creativity*, lançado pela primeira vez em 1971.
98. Théodule Ribot (1823-1891), pintor realista e estampador francês. O título original da obra citada por Rodari é *Essai sur l'imagination créatrice* [*Ensaio sobre a imaginação criadora*], lançada em 1900, na qual Ribot discorre sobre a imaginação construtiva do ponto de vista psicológico.
99. Alfredo Nesi (1923-2003), padre católico que dedicou a maior parte da vida ao serviço de emancipação social e educacional e ao acolhimento de órfãos. Em 1962, criou o Villaggio Scolastico di Corea (Aldeia Escolástica de Corea), no bairro Corea, em Livorno (Itália), conjunto de igreja e prédio de atividades sociais, culturais e educacionais. Em 1982, fundou o Centro Socioeducacional Sanitário Madonnina del Grappa, em Fortaleza (Ceará), onde trabalhou até a morte.
100. Johann Christoph Friedrich von Schiller (1759-1805), mais conhecido por Friedrich Schiller, filósofo, poeta, dramaturgo, médico e historiador alemão, defensor, entre outras ideias, da liberdade do ser humano de se contrapor ao destino.
101. Rodari refere-se à frase em latim *"tanto nomini nullum par elogium"*, mais conhecida na Itália que no Brasil. Trata-se do epitáfio inscrito no monumento ao filósofo, político, diplomata e escritor italiano Niccolò Machiavelli (1469-1527), ou Nicolau Maquiavel, erigido em uma basílica de Florença. A frase significa "a tal grande nome nenhum elogio é apropriado".
102. O princípio do "Estado ético" foi criado pelos filósofos Thomas Hobbes, no século XVII, e Friedrich Hegel, no século XIX. Postula que o Estado é o objetivo máximo do esforço dos indivíduos e responsável pelo bem universal. Essa ideia foi retomada no século XX, na Itália, pelo regime fascista (1922-1943) de Benito Mussolini (1883-1945).
103. Herbert Read (1893-1968), filósofo, poeta, historiador da arte e crítico literário inglês.
104. Trecho do livro de John Dewey *How we think* [*Como pensamos*], lançado em 1910 e relançado em 1933, em edição revista pelo autor.
105. Em latim, "apologista dos tempos / em que era criança", versos 173-174 da *Ars poetica* (*Arte poética*), também chamada *Epístola aos Pisões*, do poeta romano Quinto Horácio Flaco (65 a.C.-8 a.C.), ou simplesmente Horácio. Pisone (Pisão) era o nome de uma família abastada da Roma antiga.
106. Esse pensamento em alemão soa exatamente como transcrito no Capítulo 1, "Antecedentes": "Se tivéssemos uma fantástica assim como temos uma lógica, estaria descoberta a arte de inventar".

Gramática da fantasia

107. Cesare Pavese (1908-1950), escritor, poeta, tradutor, crítico literário italiano e diretor por um ano (1934-1935) da Giulio Einaudi Editore, ou apenas Einaudi, com sede na região metropolitana de Milão.

108. Em francês no original: "Por que ele é preto?" "Porque é noite". A rima em francês é de *noir* (/nwaʁ/) com *soir* (/swaʁ/).

109. Bóris Andrêievitch Uspénsky (1937), linguista, filologista, filósofo, semiólogo e mitologista russo, membro da Escola Semiótica de Tartu-Moscou e professor universitário de literatura russa em Nápoles (Itália).

110. Existem inúmeras variações nas personagens desse enigma, no qual é preciso levar repolhos, uma cabra e um lobo separadamente para o outro lado de um rio de modo que a cabra não coma o repolho e o lobo não coma a cabra.

111. Pseudônimo de Pietro Silvio Rivetta di Solonghello (1886-1952), escritor, jornalista, ilustrador e cineasta italiano. O inusitado título completo dessa obra é *Grammatica rivoluzionaria e ragionata della lingua italiana e di orientamento per lo studio delle lingue straniere* [*Gramática revolucionária e racional da língua italiana e de orientação para o estudo das línguas estrangeiras*].

112. John Norton Conway (1937-2020), matemático inglês conhecido por contribuições às teorias dos números, dos nós, dos códigos, à teoria combinatória dos jogos e à matemática recreativa, como na sua invenção citada por Rodari, intitulada em inglês *Game of Life* [Jogo da Vida].

113. Bruno Ciari (1923-1970), pedagogo, educador especializado em didática, defensor dos valores de justiça e liberdade e do espírito crítico na escola. Integrou o Movimento de Cooperação Educativa e, durante a Segunda Guerra Mundial, participou da Resistência italiana.

114. Frieder Nake (1938), matemático e cientista informático pioneiro na arte por computador em 1965.

O autor

Giovanni Francesco Rodari, que ficaria conhecido como Gianni Rodari, nasceu em 23 de outubro de 1920 em Omegna, aldeia à beira do lago do Orta, na região do Piemonte, noroeste da Itália. De família pobre, como os pais trabalhavam para conseguir o sustento, Gianni foi criado por uma ama de leite em Pettenasco (aldeia a quase oito quilômetros de sua cidade natal); seu irmão, Cesare, um ano mais novo, passou a viver lá também.

Gianni voltou para Omegna aos 6 anos para estudar. Era considerado bom aluno, mas muito tímido, embora soltasse a voz no coral da escola. Seu interesse pela música ficou claro nessa época: sempre autodidata, aprendeu a tocar piano e outros instrumentos. Agora morando com os pais — Giuseppe, padeiro, e Madallena, que ajudava o marido na padaria dele —, passou a conhecê-los mais de perto: adorava o pai, tido como pessoa muito humana, mas teve desde cedo um relacionamento difícil com a mãe, religiosa e rígida ao extremo. Ficou profundamente abalado com a morte do pai, ocorrida em 1929 em decorrência de uma broncopneumonia, episódio que ele recorda neste livro.

No mesmo ano, em que a quebra da Bolsa de Valores de Nova York desencadeou uma crise econômica mundial, a mãe viu-se obrigada a mudar de cidade com os filhos para tentar uma vida melhor em sua aldeia natal, Gavirate, perto de Milão, a cidade mais próspera do Norte da Itália. A padaria ficou com um meio-irmão dos meninos, Mario, filho do primeiro casamento de Giuseppe.

Aos 11 anos, Gianni foi matriculado no seminário católico de São Pedro Mártir, em Seveso, mas a mãe se convenceu três anos depois que o filho não servia para aquilo e o fez cursar o magistério. A paixão pela

Gramática da fantasia

música ainda predominava na vida dele: agora tinha aulas de violino e chegou a formar um trio, que tocava em bares e praças da região. Sua mãe desaprovou essa ocupação.

Formado professor em 1937, Gianni passou a lecionar com 17 anos. No ano seguinte, ensinaria italiano para uma família de judeus fugidos da Alemanha, em Sesto Calende, cidade à beira do lago Maggiore — outro episódio que ele recorda nesta obra. Cursou no ano seguinte a Faculdade de Idiomas da Universidade Católica do Sagrado Coração, em Milão, mas logo abandou o curso e persistiu no ensino de crianças em cidades vizinhas.

Com o início da Segunda Guerra Mundial, em 1939, a Itália, aliada da Alemanha nazista, entrou na guerra. Dispensado do serviço militar obrigatório por ter saúde delicada, Gianni continuou a lecionar. Diante do agravamento do conflito e da ocupação de parte do território italiano pelas tropas alemãs, o Exército reconvocou Gianni para lutar pela República Social Italiana, ou República de Salò, assim chamada porque essa cidade lombarda era sede de alguns ministérios do governo de Benito Mussolini. Traumatizado com a morte de seu grande amigo Amedeo Marvelli, em combate contra os soviéticos, e com a deportação de seu irmão, Cesare, para um campo de concentração na Alemanha, Gianni abandonou a farda oficial e entrou para a Resistência italiana. Em seguida, inscreveu-se no Partido Comunista Italiano (PCI), justamente em 1º de maio de 1944, Dia do Trabalho.

No ano final da guerra, em 1945, Rodari decidiu abandonar o magistério e dedicar-se inteiramente à militância política. Iniciou sua carreira jornalística no jornal mimeografado *Cinque Punte* [*Cinco Pontos*] e percebeu que gostava da profissão. A seguir, assumiu a direção do semanário da Federação Comunista de Varese, *L'Ordine Nuovo* [*A Nova Ordem*]. Em 1947, foi convidado a colaborar com o jornal oficial do PCI, *L'Unità*, de Milão, o qual lhe encomendou uns poemas para crianças. Assim Rodari encontrou o que chamava de "segunda carreira", a de escritor.

Três anos depois, já morando em Roma, deu mais dois passos na paixão central de sua vida, as crianças, ao publicar sua primeira obra

Gianni Rodari

infantil, *Il libro delle filastrocche* [*O livro das parlendas*], e ao codirigir, com a jornalista Dina Rinadi (1921-1997), o *Pioniere* [*Pioneiro*], primeiro e talvez único semanário infantil inspirado nos ideais do movimento trabalhista. Ao deixar esse cargo, assumiu em 1953 a chefia de outro semanário, *Avanguardia* [*Vanguarda*], da Federação Comunista Juvenil Italiana, e no mesmo ano se casou com Maria Teresa Ferretti, secretária da Frente Democrática Popular, formada por partidos políticos de esquerda.

Inicialmente hostilizado e atacado por ser esquerdista, com o passar dos anos e a mudança do clima político Gianni Rodari passou a ser reconhecido na Itália como um autor de literatura infantil que encantava as crianças — em 1960, já havia publicado nove livros. No mesmo ano, aprofundou seu lado militante ao se tornar redator-chefe do *L'Unità* (1960) de Roma, ao mesmo tempo que contribuía para o *Paese Sera*, como convidado especial e redator.

Em 1968, recebeu uma boa oferta de emprego da Giulio Einaudi Editore, que publicava seus livros. Ele seria obrigado a se mudar para Turim; preferiu recusar o convite, para não prejudicar sua mulher, que trabalhava em Roma, e sua filha, Paola, de 11 anos, que já cursava os anos finais do ensino fundamental.

Com 19 livros de literatura infantil de enorme qualidade publicados em 20 anos, Rodari foi agraciado com o mais importante prêmio desse setor, o Hans Christian Andersen, chamado de "Pequeno Nobel". Ao receber o prêmio, em 6 de abril de 1970, ele disse em discurso: "Acredito que os contos populares, os antigos e os novos, contribuem para educar a mente. O conto popular é o lugar de todas as hipóteses: pode dar chaves para entrarmos na realidade por novos caminhos; pode ajudar a criança a conhecer o mundo".

De 1968 a 1977, Rodari exerceu outro cargo de direção, o do periódico *Il Giornale dei Genitori* [*O Jornal dos Pais*], citado várias vezes neste *Gramática da fantasia*. Lançada em 1973, esse livro se tornaria sua obra-prima para professores, pais e profissionais da educação.

Na década de 1970, visitou algumas vezes a União Soviética, onde seus livros eram distribuídos nas escolas e faziam grande sucesso, assim como em vários países nos quais foram publicados, o Brasil inclusive. Deu prosseguimento às colaborações para jornais e ministrou muitas palestras a respeito do seu tema predileto — os contos de fadas e as fábulas —, além de ter retomado suas visitas a escolas para conversar com as crianças e os professores. Seus textos pacifistas foram musicados por compositores italianos, entre eles Sergio Endrigo (1933-2005), talvez o mais conhecido no Brasil nas décadas de 1960 e 70, por ter visitado o país várias e colaborado com os compositores Chico Buarque, Vinicius de Moraes e Toquinho.

Em 10 de abril de 1980, Gianni Rodari foi internado em uma clínica para operar uma trombose na perna esquerda. Quatro dias depois, morreu de choque cardiogênico, um dos casos mais graves de infarto. Tinha 59 anos.

Gianni Rodari na década de 1950.